Michael Götting
Contrapunctus

Michael Götting ist Autor, Journalist und Kurator. Er schreibt u.a. für ZEIT ONLINE, Deutschlandfunk und den Tagesspiegel. Am Theater Ballhaus Naunynstraße kuratierte er den Themenschwerpunkt *We are Tomorrow* zur Berliner Konferenz von 1884 und inszenierte die inklusive Theaterperformance *Decolonize Bodies! Minds! Perceptions!* Als Dozent unterrichtet er Schreibworkshops für *Schule ohne Rassismus – Schule mit Courage*, die Friedrich-Ebert-Stiftung und das Archiv der Jugendkulturen.

Michael Götting

Contrapunctus

Roman

UNRAST

Bibliografische Information der Deutschen Bibliothek
Die Deutsche Bibliothek verzeichnet diese Publikation in der Deutschen Nationalbibliografie; detaillierte bibliografische Daten sind im Internet über http://dnb.ddb.de abrufbar.

Michael Götting: Contrapunctus
1. Auflage, September 2015
ISBN 978-3-89771-605-6
Insurrection Notes Vol. 5

© UNRAST Verlag, Münster
Postfach 8020, 48043 Münster – Tel. (0251) 66 62 93
www.unrast-verlag.de – kontakt@unrast-verlag.de
Mitglied in der assoziation Linker Verlage (aLiVe)

Umschlag: UNRAST Verlag, Münster
Satz: UNRAST Verlag, Münster
Druck: CPI-books, Clausen & Bosse, Leck

MIX
Papier aus verantwortungsvollen Quellen
FSC
www.fsc.org   FSC® C083411

1 Indigo

*Ich spüre wie das fette Fleisch am Hals meiner
Tante Bi an der Innenseite meiner Hand zergeht.
Meine verschwitzten Hände.* In meiner Panik war's
das Erste, wonach ich gegriffen hab. Als die Dunkelheit sich vor
mich schiebt, suche ich darin mit meiner anderen Hand nach
Onkel Simis Schlips, der seine Nähe durch den Satz »Na, Indigo, ist dir nicht gut?« verrät – und dessen Atem in ein jäm-
merliches Röcheln übergeht, als ich den Schlips dann finde und
kräftig daran ziehe.

Ich möchte mich entschuldigen. Ich möchte alles erklären,
kann nicht sprechen, nicht, wenn dieser Zustand mich so packt
und wegreißt aus der Welt.

Ein dumpfer Schmerz, wenn die Kniescheiben auf den harten Untergrund schlagen. Dann schießt noch kurz die Sorge
um die anderen Glieder durch das Hirn, vor allem den Kopf, ja,
den Kopf vor allem.

Danach ist alles still. Tiefe Finsternis. Die Sinne ziehen sich
zurück in eine innere Welt. Da ist die Angst, die diese Ohn-
machtsanfälle immerzu begleitet. Die Angst vor dem, was mir
bevorsteht, wenn die Dunkelheit, die Stille kommt, die Unge-
wissheit meiner Sinneswelt und ihre unbekannten Pfade. Die
Angst davor, dass es da keine Rückkehr gibt.

Flügelschläge eines Vogelschwarms flattern durch das Hirn.
Ein dumpfer, tiefer Ton schwillt zuerst an, wird leiser und verstummt dann schließlich. Irgendwo dreht jemand an der Wähl-
scheibe eines alten Radios und ich empfange verrauschte und
piepsige Nachrichten aus einer Welt, die scheinbar fern und
doch ganz nah ist, weil ich sie in mir trage.

Wieder Stille. Die Dunkelheit hält mich noch immer fest umschlossen. Ich warte auf Olaudah, meinen Dämon, der mich durch meine Nacht begleitet.

Rutha-Pong

Der Türöffner summt. Ich drücke die Tür auf. Das Schloss schmatzt. Ich gehe rein. Hinter mir fällt die Tür weich ins Schloss. Ein paar Schritte nur, dann stehe ich in einem Vorraum aus Glas vor einer weiteren Glastür, die in den Raum führt, in dem sie die Personalien kontrollieren. Der Typ im Innern sieht mich an, als sei ich ein Büschel Unkraut. Gefängnisse gehören nicht zu den Orten, die ich freiwillig aufsuche. Nicht, dass ich kamerascheu wäre, aber die ganze Durchcheckerei meiner Identität macht mich nervös, diese ganze Situation, in der sich alles zu verdichten scheint, was ich in diesem Land, in dieser Stadt ertragen muss.

Nachdem sie mich im Glashaus eine Weile stehen gelassen haben, um mich anzugaffen, öffnet sich die zweite Glastür mit dem gleichen Summen wie die erste. Ich trete ein und stehe vor einem großen Fenster aus dickem Glas. Dahinter sitzt ein Typ in Uniform: der Summerdrücker. Ein junger Kerl mit strähnigen dunkelblonden Haaren, einem hageren Gesicht, Spitzbart und einer Brille, die verdammt dicke Gläser hat. Jungs wie er sind mir im Leben schon oft über den Weg gelaufen. Fans von Heavy-Metal-Bands. Vielleicht ist er ein Mosher, der bei Konzerten von der Bühne springt, sich auf Händen durch die Halle tragen lässt und den Hals davon nicht vollkriegt.

Er lächelt. Ich möchte ihn auch anlächeln, kann aber nicht. Meine Gesichtsmuskeln sind zu angespannt.

»Tach«, sagt er und legt seine Hand von innen an den schmalen Spalt unter der Fensterscheibe. »Tach«, sage ich und krame in der Innentasche meines Mantels nach meinem Ausweis und dem Besucherschein.

Bis hierhin kenne ich die Prozedur. Vor etwa einer Woche haben sie mir einen Entlassungsbescheid zugeschickt und ich bin hergekommen. Die Sache stellte sich als eine Ente raus. Reine Verarsche. Und der Mosher hinterm Fenster gab mir brillerückend zu verstehen, dass sich die Entlassung verschiebt. Ich war froh. Das geb ich jetzt mal ganz offen zu. Ich wollte die Zeit, die sie mir so überraschend gegeben hatten, dazu nutzen, mit meinem Leben auf Olaudahs Entlassung zuzugehen. Aber heute muss ich feststellen: ich bin wieder nur davongelaufen.

»Na? Ein neuer Versuch?«, fragt der Mosher und zeigt beim Lächeln sogar seine Zähne.

»Ja«, antworte ich, »mal sehen, ob's heute klappt.«

»Wird schon.«

Er hält meinen Ausweis in der Hand, öffnet das Ding und hält es sich dann so dicht vors Gesicht, dass ich denke, er wird sich damit die Nase plattdrücken. Anschließend dreht er ihn und betrachtet das Dokument von außen.

»Amerikanischer Ausweis!?«

»Tatsache?«

»Beim letzten Mal war es ein Deutscher, wenn ich mich nicht irre.«

»Ah, dann hab ich das wohl verwechselt. Ich hab meine Brille nicht auf. Wollen sie mich jetzt wegen doppelter Staatsbürgerschaft verhaften?«

»Nee«, sagt er, wedelt mit der Hand und blättert dann in meinem Ausweis rum, landet schließlich auf der Seite mit dem Passfoto und den Daten. Durch seine dicken Brillengläser schaut er mich über den Rand des Dokuments hinweg an.

»Rutha-Pong.« Er fängt an zu grinsen. Mann, wie ich die Vielfalt liebe, mit der die Menschen hier auf meinen Namen reagieren.

»Ach, stimmt ja«, sagt er, »sie waren die Frau mit diesem wundervollen Namen.«

»Wundervoll? Viele Leute finden ihn schrecklich, meine Mutter hasst ihn!«

Er fährt mit seinem Zeigefinger über das Papier und liest: »Five-foot-eleven. Wie viel wäre das in Meter ausgedrückt?«

Er will's ganz genau wissen. Ich weiß nicht, ob das daran liegt, dass der Pass diesmal nicht deutsch ist, die Person auf der anderen Seite der Scheibe aber schon.

»Etwa Eins-achtzig«, sage ich.

»Sie wirken größer.«

»Ich hab hohe Schuhe an«, sage ich. Er hebt kurz das Kinn, klappt den Ausweis zu und schiebt ihn dann mit einer flinken Bewegung durch den schmalen Spalt zu mir herüber.

Als ich mich schon umgedreht und den Pass zurück in meine Innentasche geschoben habe, höre ich noch seine Stimme aus dem Glaskasten rufen: »In Accra war ich übrigens auch mal.«

Ich nicke nur, ohne mich noch einmal umzudrehen. Jungs, die mir erzählen, sie seien in Ghana gewesen, machen mich misstrauisch. Was wollen die da, frage ich mich? Sich im Hotelkomplex verschanzen? Am Touristenstrand liegen und dem Hotelfotografen Bilder abkaufen, auf denen spielende schwarze Kinder zu sehen sind?

Ich hab ein anderes Ghana kennengelernt. Es gibt so viele Ghanas, dass ich denke, dass es Ghana eigentlich gar nicht gibt, sondern nur den Namen und das, was man sich darunter vorstellt. Weiß nich'. Es ist auf jeden Fall nicht dasselbe, nicht das Ghana, das ich meine, wenn ich sage: Ghana.

Der Summer summt. Ich drücke die nächste Tür auf. Das Schloss schnalzt auch schon wieder. Ich trete ein. Mir gegenüber steht ein Typ, der eine große Lupe ohne Glas in der Hand hält: sein Metalldetektor.

»Ihr habt hier verdammt viele Türen.«

»Sie!«, brummt er. Ein kleiner fetter Mann mit schwitziger Haut, der mich mit verkniffenem Gesicht anschaut.

»Sind sie nich' die Frau von der Plakatwerbung für den Kaffe'?«

»Nein, Mann, was soll das!?«, antworte ich und versuche, ihn mit meinem Blick einzuschüchtern, mit meiner Größe, dem imposanten Teil meiner exotischen Aura.

Er brummt wieder und klopft dabei verlegen mit dem Metalldetektor auf seine Handfläche. »Ich muss Sie abtasten«, sagt er, »bitte breiten Sie mal die Arme aus.«

Ich breite die Arme aus. Er fängt unten an, nimmt's genau, tastet sogar auf meinen Schuhen herum, scheint unter meine Sohlen schauen zu wollen. Ich spüre seine Hände auf der Haut meiner Unterschenkel höher kommen wie zwei Saugnäpfe. Hoffentlich hinterlässt er keine Feuchtigkeitsflecken auf meiner Strumpfhose, die hab ich mir extra für diesen Tag gekauft.

Die Oberschenkel und das Becken kontrolliert er mit der Lupe.

»Kann man damit auch Ultraschall machen?«, frage ich, als er mit dem Metalldetektor über meinen Bauch geht.

»Häh?« Er richtet sich auf und dabei knacken seine Knie wie zerbrechende Äste.

»Ultraschall, ich meine, ob sie sehen könnten, ob da was Kleines drin ist?«

Er wischt sich mit der Hand den Schweiß von der Stirn und betrachtet die feuchte Handfläche.

»Nee«, sagt er dann und schaut mich dabei gleichgültig an, »Ultraschall kann ick nich.«

Er geht wieder in die Knie, fängt wieder ganz von vorne an, arbeitet sich von meinen Sohlen hoch über die Knöchel zu den Unterschenkeln, über die Oberschenkel, das Becken, den Arsch, den Bauch, versteckt sein Gesicht hinter der Lupe, als er über meine Titten fährt. Ich halte die Luft an und denke: Junge, wenn du die berührst, dann scheppert's.

»Sie können die Arme jetzt wieder runternehmen.« Seine Hand liegt auf meinem Rücken und ich folge ihrem leichten Druck. »Durch die Tür da!«, der freie Arm deutet an meinem Kopf vorbei zur nächsten Tür hinüber. Diesmal ist es eine aus grauem Stahl.

»Auf den Hof raus, da bitte warten!«

An der Tür hängt ein Schild. Wenn ich nah genug rangehe, kann ich es sogar lesen: VORSICHT TREPPE. Ich öffne die Tür und dahinter ist tatsächlich eine schmale Eisentreppe, die hinunter in einen von grauen Mauern eingeschlossenen Hof führt. Auf der anderen Seite steht eine rot lackierte Bank. Ich setze mich hin und wünsche mir eine Zigarette.

Nach sechs Jahren kommt Olaudah heute endlich raus. Als mir der Entlassungsbescheid ins Haus geflattert ist, hab ich gedacht: wow, jetzt kommt das Examen und ich hab mich kein bisschen darauf vorbereitet. Ich lieg in meinem Leben wie in einer bis zum Rand gefüllten Badewanne. Wenn Olaudah mit einsteigt, läuft die Wanne über und das zu erwartende Szenario sieht so aus: Das Wasser überschwemmt das Badezimmer, sickert durch den Boden, sickert durch die Decke des Nachbarn nach unten, weicht die Mauern auf und dann fällt das Haus zusammen. Ich sag's mal völlig unmetaphorisch: Ich habe einen Sohn. Olaudah auch. Es ist derselbe Junge: Malik.

Malik ist fünfeinhalb. Vielleicht muss ich mich jetzt daran gewöhnen, den Jungen »unser Sohn« zu nennen. Zuhause vor dem Spiegel habe ich es ausprobiert und auch noch andere Dialoge, in denen irgendwann immer die Zeile – »Du, ich muss dir was sagen« – vorkam. Malik denkt, dass sein Vater ein anderer ist. Er denkt, sein Vater sei mein Freund Habibi. Olaudah hat er nie gesehen.

Der rote Lack auf der Holzbank ist trocken und rissig und die kleinen Plättchen biegen mir ihre Enden entgegen, betteln darum, von mir beknibbelt zu werden. Ich kümmer mich um sie, schiebe meine Fingernägel zwischen das Holz und den müde gewordenen Anstrich und dann geht's nur noch *knips, knips, knips,* bis der trockne Lack zu homöopathischen Dosen zerkleinert ist.

Habibi

Irgendeine unsichtbare Kraft reißt an dem Band, das uns zusammenhält.

Am Morgen komme ich zu Ruthas Wohnung, müde von einer Nachtschicht im Krankenhaus: Kilometer gemacht auf einem in Neonlicht getauchten Stationsflur. Abgeschirmt vom Dunkel draußen. Die Station, wie ein erleuchtetes Lazarettschiff, das ohne Steuerruder auf der nächtlichen See treibt. Ein rotes Licht geht über einer Zimmertür an. Ich öffne die Tür. Zwei Betten stehen wie geparkte Limousinen nebeneinander. Eine Hand bewegt die Triangel über dem Bett. Dann die Stimme einer Frau: »Hier, Habibi, ich brauche sie.« Sie flüstert. Ich gehe zum Bett am Fenster, beuge mich zu ihr herunter: Bettpfannen unter dünstenden Körpern. Meine Fingerkuppen auf pochenden Handgelenken. Blutdruckmanschetten pressen alle Sorten von Oberarmen zusammen und erschlaffen langsam. Das rhythmische Klopfen des Herzschlags in meinem Ohr und meine

Hände unter schweißnassen Achselhöhlen. Mit Trippelschritten geht's in Waschkabinen und zurück. Katheter münden in geröteten Eicheln. Geweitete Pupillen. Der immer nahe Tod in den Augen und danach am Nackenfleisch ertastet – ohne Puls. Der Geruch von Desinfektionsmitteln begleitet mich, als ich das Krankenhaus verlasse.

In der U-Bahn, auf dem Weg zur Eberswalder Straße schlafe ich ein und erwache vom Gestank der Kleidung eines Bettlers, der durch den Wagen schlurft. Ich schiebe ihm dankbar eine Münze zu, steh von meinem Sitz auf, gehe zur Tür und betrachte mein Spiegelbild in der Scheibe vor dem dunklen Tunnel. Ich seh auf die vorbeiziehenden Geländer, als der Zug den U-Bahn-Schacht verlässt, die Fassaden der Häuser dahinter, steige aus, gehe über den Bahnsteig zum Ausgang. Die roten Lichter über den Wagentüren leuchten auf, begleitet vom monotonen Signalton. Ein kühler Märzmorgen. Der Geruch von Kohleöfen liegt noch schwer unter dem grauen Himmel.

Als ich die Tür zu Ruthas Wohnung aufschließe und über die weiß gestrichenen Dielen im Flur gehe, ist alles still. Ich schiebe die Tür zu Ruthas Zimmer auf, gehe hinein: Klamotten liegen überall auf dem Boden verteilt, ein paar CDs ohne Hüllen dazwischen. Der Sessel am Fenster, durch das man hinaus auf die U-Bahn-Gleise sieht, bedeckt von Krempel. Ausgeleerte Schminktaschen, Schmuck, Unterwäsche. Das Bett ist aufgeschlagen und leer.

Ich gehe hinüber zu Malik. Der Junge sitzt im Schlafanzug auf dem Teppichboden und beschäftigt sich mit seinem Spielzeugkran.

»Malik!«, rufe ich mit gedämpfter Stimme. Er wendet den Kopf und sieht mich mit großen Augen an. Er lächelt nur kurz und setzt dann sein Spiel fort. Ich setze mich zu ihm auf den Boden und schaue ihm zu.

»Wo ist Rutha?«

»Vorhin weggegangen.«

»Vorhin? Wann? Ich dachte, sie wartet, bis ich da bin.«

Er zieht die Schultern hoch. Dann sagt er: »Sie meinte, du kommst gleich.«

Ich sehe ihm noch eine Weile beim Spielen zu. Irgendwann strecke ich die Beine aus, lege mich auf den Teppich und schlafe ein; erwache erst wieder, als mich etwas an der Nase kitzelt. Malik hat mein Gesicht mit meinen Haaren verziert. Zwei Zöpfe liegen kunstvoll um meine Nase. Einer kommt von der rechten Seite meines Kopfes, der andere von der linken. Er ist gerade dabei, aus den anderen Zöpfen einen dicken Strang zu flechten, als ich die Augen aufschlage und nach seinen Händen packe.

»Kleiner Frechdachs!«, rufe ich, und er springt lachend auf, flüchtet zur anderen Seite des Zimmers. Dort steht er eine Weile und die Erwartung, Fangen zu spielen, bringt ihn zum Kichern. Ich binde meine Dreadlocks hinter dem Kopf zusammen.

»Hast du gegessen?«, frage ich.

»Nein!«, antwortet er.

»Hast du Hunger?«

»Ja!«

Und ich sehe, dass er noch immer darauf wartet, dass ich mich darauf einlasse, Fangen zu spielen.

»Hey, Kleiner, ich bin jetzt echt zu müde, zum Fangen spielen, verstehst du?«

Er nickt ein wenig enttäuscht. Ich gehe durch den Flur zur Küche und spüre diese unsichtbare Kraft, die uns voneinander wegzieht. Weiß nicht genau, was es ist, woher dieses Gefühl kommt: Er ist an diesem Morgen nicht anders als er sonst ist. Und auch ich bin nicht anders als sonst, müde, ein wenig abgekämpft nach einer Nacht im Lazarettschiff.

Es ist ein Gefühl im Bauch. Die Sinne empfangen Nachrichten aus einer anderen Welt, warten darauf, dass sich diese Nachrichten in Zeichen zeigen, die sie entziffern können.

Ein Zettel mit Ruthas Schrift auf dem Küchentisch: BIN UNTERWEGS. SEHEN UNS HEUTE ABEND BEI INDIGO IM CAFÉ DIZZY.

Malik kommt in die Küche, setzt sich auf seinen Stuhl.

»Was steht auf dem Zettel?«, fragt er.

»Wir treffen Rutha heute Abend bei Indigo«, sage ich und er jubelt. Er mag Indigo und auch das Café Dizzy, wo wir sie meistens treffen. Es ist wohl die Stimmung dort. Gerade, wenn es draußen dunkel ist und der Raum wie ein Glaskasten in der Kulisse der Stadt steht, kann er stundenlang am Fenster sitzen und rausschauen. Vielleicht ist es aber auch nur die Vorfreude auf den Kuchen, den Indigo ihm serviert, wann immer wir sie dort sehen.

Nach dem Frühstück machen wir uns auf den Weg zum Zoo, laufen auf der Straße und ich muss ihn immer wieder ermahnen, langsam zu gehen und sich nicht zu weit von mir zu entfernen. Das Hinken ist ein Andenken an meine Kindheit im Heim. Ein Unfall. Ein schlecht verheilter Bruch des linken Beins.

In der U-Bahn kommt die Müdigkeit zurück. Ich sitze auf einem der Polstersitze in der Mitte des Wagons, sehe aus dem Fenster, wo die Tunnelwand vorbeigleitet. Malik spielt an einer der Haltestangen Karussell, hält sich mit einer Hand fest, dreht sich im Kreis und lacht dabei ausgelassen. Ich schaue von Zeit zu Zeit zu ihm hinüber.

Am Bahnhof Mohrenstraße blicke ich hinaus auf den fast menschenleeren Bahnsteig. Ich höre Malik jauchzen und höre, wie das Jauchzen wilder wird und auch das Quietschen seiner Hand an der Stange. Das Signal der schließenden Türen tönt schon durch den Wagen, als das Quietschgeräusch plötzlich etwas Endgültiges bekommt und dann mit einem Mal verstummt. Ich schaue hinüber. Der Junge ist weg. Die Türen sind bereits geschlossen und ich denke, dass er vielleicht hingefallen ist und nun hinter dem Sitz liegt. Ich stehe auf, sehe nach, aber dort ist er nicht. Der Zug fährt an. Ich schaue aus dem Fenster und sehe, wie Malik sich auf dem Bahnsteig aufrappelt, sich die Handflächen an den Hosenbeinen abreibt; dann, wie er den Kopf hebt und dem abfahrenden Zug mit ungläubigem Staunen hinterhersieht. Nur wenige Sekunden später habe ich ihn aus den Augen verloren. Der Zug taucht in die Dunkelheit und ich erblicke meinen Körper in der Spiegelung, erstarrt wie eine Wachsfigur.

★ ★ ★

Mein Körper ist so steif, als hätte ich Monate in einem Gipsverband gelegen. Ich versuch, mich zu bewegen, alles schmerzt. Ich bin in einer großen Glasvitrine, die in einem herrschaftlichen Saal steht. Hohe Mauern, Stuck unter der Decke. Das Ambiente eines alten Palastes.

Meiner Vitrine gegenüber: ein weiterer Kasten aus Glas. Darin steht Olaudah, bekleidet nur mit einem Rock aus Stroh. Ein muskelbepackter Riese mit kahlrasiertem Schädel.

Er schaut zu mir herüber, winkt, legt dann seine Handflächen von innen gegen die Scheibe, drückt hier, dann dort gegen das Glas. Ich möchte ihm auch zuwinken, aber mein Arm schmerzt, als ich ihn heben will. An meinem Körper scheint alles gebrochen.

Von der Seite höre ich Stimmen, die sich nähern. Ich quäle meinen Kopf in ihre Richtung. Dort kommen ein paar Leute durch eine hohe Schiebetür herein. 15 oder 20 sind es. An der Spitze der Gruppe geht eine kleine, blonde Frau in einem dunklen Hosenanzug und weißem Hemd. Als sie näher kommt, sehe ich das Schild an ihrer Brust. FRAU SCHLIEMANN steht da. Sie spricht. Durch das Glas kann ich sie kaum verstehen. Sie hebt den Arm wie eine Verkehrspolizistin und deutet zu meiner Vitrine herüber. Alle Blicke richten sich auf mich. Die anderen stehen nun dicht vor dem Glas und beglotzen meinen Körper. Ich bewege mich nicht, rolle nur meine Augen hin und her und beobachte so die Szenerie.

Ich habe fast nichts an, das spüre ich und weiß, dass es nicht viel mehr sein kann als das, was Olaudah dort im anderen Käfig trägt. Frau Schliemanns linker Arm fährt theatralisch in die Höhe. Alle wenden den Kopf hinüber zu Olaudah und folgen ihr dorthin. Er steht mit verschränkten Armen und breitbeinig da, und als ich mir sicher bin, dass alle Blicke auf ihn gerichtet sind, wage ich, mich etwas zu bewegen. Stroh raschelt leise über meinen Brüsten. Ein neckisches Baströckchen kratzt auf der Haut.

Ich bin noch damit beschäftigt, als mich ein lautes Raunen draußen vor dem Glaskasten aufschreckt und dann der schrille Schrei der Frau im dunklen Hosenanzug. Ich schaue auf. Olaudah hat sich bewegt. Er nimmt einen faustgroßen Stein aus der Dekoration und schlägt damit auf die Scheibe ein. Der Alarm heult auf. Frau Schliemann hält sich beide Hände vor den Mund. Die Anderen stehen da, wie erstarrt. Ein Kind lacht laut auf und hüpft ein paar Mal auf und ab. Das Glas bekommt unter Olaudahs Schlägen Risse. Frau Schliemann streckt beide Arme in die Luft und brüllt so laut, dass sogar ich sie gut verstehen kann: »Das dürfen Sie nicht! Das ist verboten! Hilfe!« Dann sehe ich, wie sie verstört und laut nach der Security rufend aus dem Saal rennt. Die anderen folgen ihr.

Die Scheibe an Olaudahs Vitrine bricht krachend aus der Verankerung. Er schwingt sich aus dem Käfig und ist mit wenigen Schritten vor meinem Fenster, beginnt, mit dem Stein auf das Glas einzuschlagen.

Mit vier, fünf Schlägen ist das Glas zerhauen und bricht klirrend aus dem Rahmen. Ich bewege das Bein, schreie vor Schmerzen dabei. Dann das andere Bein. Es tut höllisch weh, aber schließlich schaffe ich mich über das Podest hinunter. Scherben bohren sich in meine Fußsohlen. Meine Hände bluten. Der Alarm heult durch meinen ganzen Körper. Jeder Schritt schmerzt und bei jedem Schritt, den ich an Olaudahs Hand in Richtung einer roten Stahltür mache, hinterlasse ich Blutspuren auf dem Parkett. Ich bin sozusagen das Aschenputtel im Buschmann-Dress. Hinter uns sind die schweren Schritte der Security zu hören. Die Sklavenfänger haben sich auf den Weg gemacht. Olaudah reißt die Stahltür auf und eisige Kellerluft schlägt uns entgegen. Es geht über einen kühlen Steinboden in ein dunkles Gewölbe hinein. Das Herz schlägt mir im Hals, der Körper schmerzt noch immer bei jeder Bewegung meiner rostigen Gelenke. Ich friere, halte mich jetzt mit beiden Händen an Olaudahs Unterarm fest.

»Ist nicht gerade das geeignete Outfit für so eine frostige Höhle, oder?«, rufe ich. Aber Olaudah zieht mich nur wortlos weiter.

Links sind von Kerzenlicht nur schwach erleuchtete Räume hinter Holzverschlägen. Im Vorbeilaufen sehe ich Totenschädel, die an den Wänden bis zur Decke aufgestapelt liegen, und Männer in vom Staub ergrauten Kitteln, die sich an den Schädeln zu schaffen machen. Dann ein weiterer Raum. Ausgezerrte dunkle Leiber in Ketten, die stöhnend in der Ecke liegen. Weinende Kinder. Erbärmlicher Gestank von Kot und Kadavern und Desinfektionsmittel hängt in den alten Wänden.

Zu meinen Schmerzen gesellt sich eine Angst, die tiefer sitzt als alle anderen Ängste, mit denen ich mich im Leben sonst so rumschlage.

Hinter uns sind die Männer von der Security. Ihre Schritte kommen näher. Ich wende den Kopf nach hinten. Fackeln über den Köpfen von rohen Kerlen in einem zerzausten Musketier-Look. Drei Hunde ziehen röchelnd an ihren Leinen. Englische Flüche prasseln aus einiger Entfernung auf uns nieder und das Klirren der eisernen Hundehalsbänder sendet einen kühlen Schauer über meinen Rücken.

Olaudah bleibt vor einer Leiter stehen, die steil hinaufführt zu einer Luke.

»Da hoch«, sagt er und schiebt mich an sich vorbei.

Ich schaue zur Seite, an seinem Körper entlang, den Gang hinunter, wo die Fackelmänner mit ihren Hunden näher kommen. Ich klammere mich mit beiden Händen an der Leiter fest, klettere einige Stufen hoch. Als ich sehe, dass Olaudah mir nicht folgt, bleibe ich stehen.

»Was ist mit dir?«, frage ich und er schaut zu mir hinauf, dann über seine Schulter hinweg zu den Befackelten, dann zu mir zurück. »Geh!«, sagt er und schiebt mich die Leiter weiter hinauf.

Ich erreiche die Luke, drücke meinen Körper mit meiner ganzen Kraft von unten gegen die Eisenklappe, schlüpfe durch die Öffnung. Die Klappe fällt neben mir zu. Ich lege mich darauf, rolle mich zusammen wie ein Fötus und halte still, warte, lausche auf das, was sich unter mir im Kellergewölbe abspielt, aber höre nichts. Nur das Säuseln von Stimmen, die irgendwo scheinbar in weiter Ferne den Singsang einer kleinen Menschenmenge verbreiten. Dann eine vertraute Stimme in der Nähe, die von oben kommt: »Ja, sag mal, Mädel, was machst du da eigentlich?« Es ist die Stimme von Rutha-Pong.

Ich rolle mich herum auf die andere Seite. Vor mir, leere Bierkisten, ein roter Putzeimer, über dessen Rand ein grün und weiß kariertes Tuch hängt und Schläuche unter den silbrig glänzenden Wannen eines Spülbeckens. Das Dizzy! Ich bin bei der Arbeit und liege hinter dem Tresen auf dem Boden.

Ich rappele mich hoch, betaste meinen Körper, um zu sehen, ob ich noch in Stroh gekleidet bin, versuche, als ich merke, dass ich meinen üblichen Hip-Hop-Schlabberlook und meine braunen Wanderstiefel trage, es so aussehen zu lassen, als würde ich mir nur die Kleider abklopfen.

»Hey«, sage ich so gewohnheitsmäßig, wie es eben geht, und: »Alles klar bei dir?«

Rutha hebt die Augenbrauen, sagt: »Bei mir schon ... Wie sieht's bei dir aus?«

»Geht schon«, sage ich und: »Ja, alles klar soweit.«

Sie tippt mit ihren langen Fingernägeln auf dem Tresen neben einem leeren Whiskyglas herum. »Hör mal Schätzchen«, sagt sie, »wie lange willst du mich denn eigentlich noch hier auf dem Trockenen sitzen lassen?«

★ ★ ★

Indigo greift eine Whiskyflasche aus dem Regal, dreht sich zurück und fummelt am Verschluss herum.

»Gib ordentlich rein, Herzchen«, sage ich. Ich habe Lust zu trinken. Ich hab Lust auf einen betäubten Körper und betäubte Sinne; Nerven, die in Situationen, auf die sie sonst mit Starkstrom reagieren, nur noch amüsiert vibrieren. Ich zünde mir die nächste Zigarette an.

Hans, der Besitzer vom Dizzy, kommt um die Ecke. Ein langer Lulatsch mit einem Kugelbauch. Buschiger Schnauzbart und Nickelbrille. Immer, wenn er Stress hat, fährt er sich mit den Fingern durch seine schulterlangen, dunkelbraunen Haare. Seine Frisur ist jetzt total zerzaust. Er zieht eine CD aus dem Regal und schiebt sie in den CD-Spieler.

Ich beobachte Indigo beim Einschenken. »Mach's wie Hans«, sage ich, »viel Whisky, wenig Cola.«

»Eis?«, fragt sie, während die Musik einsetzt. Jazz schlägt mir mit allem entgegen, was ich damit verbinde. Die Fifties, schwarze Männer in dunklen Anzügen, verrauchte Bars ... Ich ziehe an der Zigarette und wedele mit der Hand. Damit meine ich: kein Eis! Sie versteht es und stellt das Glas vor mich hin, schaut mich an wie eine Drogendealerin, die gerade drüber nachdenkt, wie sie ihren Junkie retten kann, während sie ihm ein Päckchen Stoff zuschiebt.

Ich kann so einen Blick jetzt gerade nicht gebrauchen, denke ich. Auch deswegen trinke ich ja, weil diese Blicke, voll mit dem unverschämten Selbstverständnis dieser völlig verdrehten Welt, wie Treibsand durch meinen Körper wehen. Es macht mich kirre!

Ich lehne mich auf dem Barhocker weit nach hinten, setze das Glas an und kippe das Zeug in einem Zug herunter. Dann schließe ich die Augen, lege das Kinn auf die Brust und warte darauf, dass die Wirkung einsetzt.

Billie Holiday singt.

Ich höre, wie Hans sagt: »Ach, Indigo, wo hast du denn den Wein aus dem Keller hingestellt?«

Und sie: »Welchen Wein, Onkel Hans?«

Er sagt: »Na, ich hatte dich doch vorhin runtergeschickt, um Wein hochzuholen.«

»Kann mich nicht erinnern«, sagt sie und ich höre, wie sie den Kühlschrank öffnet und ein, zwei Flaschen reinstellt.

»Okay«, schnaubt Hans, »was soll's, dann gehe ich eben selbst runter.«

Die Kellerluke wird aufgezogen. Dann höre ich, wie er langsam über die Leiter runtersteigt. Ich blase Rauch aus und schiebe die Kippe in den Aschenbecher.

Jemand öffnet hinter mir die Caféhaustür. Ein kühler Windhauch geht über meinen Rücken. Ein Kind tritt ein. Ich höre es an den leichten Schritten. Mein Sohn, denke ich, öffne die Augen und schaue über die Schulter nach hinten.

Malik ist allein. Habibi ist nicht dabei.

Ich drehe mich zur Seite und strecke meine Hand nach ihm aus.

»Wo ist Habibi?«, frage ich. Er legt seine Wange auf meinen Schoß und sagt: »Weiß nich', hab ihn in der U-Bahn verloren.«

So liegt er eine Weile da. Ich streiche ihm über die Locken, hebe den Kopf leicht, schaue zur Seite und sage dann: »Mach mir noch einen.«

Indigo schiebt ein Stück Torte auf den Tresen und daneben eine große Tasse Schokolade. Ich hebe Malik auf den Barhocker neben meinem und er fährt gleich mit der Gabel in die Sahne.

»Was ist passiert?«, frage ich und stürze das nächste Glas Whisky-Cola in mich rein. Er erzählt mir die ganze Story von der U-Bahnfahrt, wie sie sich dann verloren haben und wie ihn dann irgendein großer Schwarzer bis zur Straßenecke beim Dizzy gebracht hat.

Ich rauche, höre zu, spüre, wie der Whisky mich langsam von innen überschwemmt. Leichtes Schwindelgefühl setzt ein, das Murmeln der anderen Gäste verschwimmt im Raum. Ich sehe alles durch eine Weichzeichner-Linse und meine Lider werden schwer. Als ich nach Maliks Wange greifen will, um ihm die Sahne wegzuwischen, sind meine Hände wie in Watte gepackt und ich müh mich ab, meine Finger dahin zu bringen, wo sie hinsollen.

Die ersten Akkorde von Billie Holidays ›I Cover the Waterfront‹ sind zu hören. Ich schließe die Augen und meine Sinne bestaunen die vielen kleinen Sensationen, die in meinem Innern sonst noch so passieren.

Jemand öffnet die Tür, betritt den Raum. Ich weiß, es ist Habibi. Ich kenne seine Bewegungen, und wenn er dann herüberkommt zur Bar, ist es für jeden leicht, ihn an seinem Hinken zu erkennen. Ich rieche den Regen, der sich in seinen Haaren verfangen hat und der auf seinen Kleidern liegt.

Ich höre, wie er mit Malik redet, und fühle, wie mein Körper auf ihre Stimmen reagiert. Ihre Vertrautheit berührt mich. Etwas daran stört mich. Es drückt einen tiefen Schmerz in mich hinein. Ich weiß, es liegt an mir, ob sie getrennt oder so zusammen sein werden wie in diesem Augenblick.

Als ich am Morgen im Gefängnishof saß und am Lack geknibbelt hab, hab ich gespürt, dass sich da was bewegt in mir, etwas das zwischen uns ist, mir, Habibi und Malik und auch vielleicht Olaudah, der immer irgendwo im Äther unseres Seins vagabundiert. Ein Geist, dessen Einfluss auf unser Dasein vom Staat bestimmt wird.

Was will ich wirklich, frag ich mich, und diese Frage rast in diesen Tagen auf mich zu wie eine Schnellbahn. Ich steh auf den Gleisen, hypnotisiert von ihrer Zielgerichtetheit, manchmal beleidigt, dass das Leben mir tatsächlich eine Antwort abverlangt auf diese Fragen: Was will ich für mich? Was will ich für dieses Kind, für Habibi, für Olaudah?

»Hey, Habibi«, hör ich Indigos Stimme vom Tresen her. Ich weiß, dass er ihr jetzt zunickt und zu ihr herüberlächelt. Nimm doch sie, Mann! Lösen wir's doch auf die elegante Tour! Und ich könnte sagen, ganz die Güte in Person: »Ja doch, Kinder, ihr habt meinen Segen. Ich gönn's euch, werdet glücklich!«

Ich spür ihn nah bei mir. Soweit ist es jetzt. Soweit ist es längst: Das feine Gespür zweier Körper, die sich kennen. Die Zellen, auch wenn sie im Suff baden, haben sich aufeinander ausgerichtet, fangen an zu tanzen im Gewebe, wiegen sich im Blues.

Ich öffne die Augen. Habibi steht ganz dicht vor mir und schaut mich an. Ekelerregend nüchtern. Und in dieser Nüchternheit begegnet mir alles, was jemals über vollgeknallte Frauen gedacht, gesagt, geschrieben worden ist. Mein Geist repetiert in einer kollektiven Trunkenheit Dinge, die wir nie über die Lippen gebracht haben und nie über die Lippen bringen werden und die doch da sind, zwischen uns, jeden Tag. Alles dreht sich. Ich will noch mehr trinken. Ich will noch mehr Verstörung, noch mehr Taubheit, und ich will Erleichterung. Dieses Gemisch aus altem Zeug, das durch unsere Hirne treibt und dann die ewig durch diesen Nebel schimmernde Hoffnung; eine leise, viel zu leise Stimme, die beständig sagt: wir können es doch wagen, uns von diesem alten Kram zu lösen und gemeinsam losziehen: in unsere eigene Welt!

Ich leg meine Arme um seinen Hals, strecke ihm meinen Mund hin. Er küsst mich auf die Lippen. Ich lege meine Wange auf seine Brust, schaue rüber zum Fenster. Draußen ist es dunkel geworden. Kerzenlicht verbreitet eine schummrige Atmosphäre. Billie Holidays Stimme ist um uns wie eine Mama, die >Gute Nacht< sagt und dann aus dem Zimmer geht. Ich sage: »Habib, Mann. Du arme Sau musst Dich jetzt um mich kümmern.«

Ich spüre sein Lachen an meiner Wange.

★ ★ ★

Ich bin wieder wach. Die Augen sind offen. Im Mund wälzt sich der schale Geschmack von abgelecktem Briefmarkenkleber und wickelt meine Zunge in zähen Speichel. Meine Sinne tasten sich zurück in die Umgebung, in der mein Körper lag, während sie, unterwegs in meiner Schattenwelt, die Früchte ihrer Ohnmacht aßen.

Eine Strohmatte kratzt an meiner Wange. Unter der Matte ist Holz. Es drückt gegen mein Gesicht und es tut weh. Ich schaue nach oben. Von dort starrt eine alte Stehlampe auf mich herab. Daneben ein alter Sessel. Der Geruch des Polsterstoffs bringt die Erinnerung zurück: Meine Großmutter. Ihr Sessel, auf dem sie immer sitzt und Zeitung liest. Ihr achtzigster Geburtstag und meine Familie, die in einem der nahen Räume versammelt ist. Ihre Stimmen plätschern zu mir herüber wie ein kleiner Bergbach.

Auf dem Boden, unter dem Sessel, liegt eine Zeitung. Ich lese die Schlagzeile auf der Titelseite: BUNDESRAT STIMMT ÜBER NEUES ZUWANDERUNGSGESETZ AB! CDU VERLÄSST GESCHLOSSEN DEN SAAL!

Ich bin mal wieder zusammengeklappt. Ich wünschte, ich könnte mit gutem Gewissen sagen: >Es kommt nicht wieder vor<, aber es wird wieder vorkommen und wieder und wieder und wieder.

Es hat angefangen, als ich sieben war. Seit einigen Monaten hat sich das Ganze ausgeweitet und ich rechne fast in jedem Augenblick damit, aus der Welt zu kippen. Es macht mir Angst. Ich beobachte meinen Körper, ich überwache meine Sinne, kontrolliere meine Wahrnehmung wie ein Junkie, der seine Trips zu einer Wissenschaft gemacht hat.

Die Ärzte haben mich auf Sichelzellanämie untersucht. Die Vermutung, dass irgendwo in mir ein afrikanisches Erbe verborgen liegt und mir das Leben schwer macht, ist legitim. Das Ergebnis war negativ. Sie ziehen die Schultern hoch und kommen nicht weiter. EKGs, EMGs, EEGs. Stethoskope, die kühl über meinen Brustkorb wandern. Das leise Frösteln, das dabei meinen Körper durchzieht. Der Würgereiz beim Anblick von Holzspateln.

Über das Parkett nähern sich Schritte. Es ist meine Mutter. Ich erkenne das Geräusch, das ihre alten Biotreter auf dem Holzboden machen. Ich drehe mich auf die Seite und beobachte, wie die Schuhe langsam näher kommen. Die Latschen, weiße Strümpfe und den Saum ihres dunklen Kleids, das sie sich zur Feier des Tages angezogen hat, mehr sehe ich von ihr nicht. Sie bleibt neben meinen Knien stehen. »Na, wieder unter den Lebenden?«

»Sieht ganz so aus«, sage ich und schaue zu ihr hinauf: Das Gesicht meiner Mutter, groß wie ein Ballon mit ihren immer leicht geröteten Wangen. Darüber ihre kurzen, schwarzen Haare, ihre malträtierte Dauerwelle. Sie kniet sich neben mir hin, streicht mir über den Kopf.

»Komm, das Essen steht schon auf dem Tisch, lass uns rübergehen.«

Mein Blick folgt der Bewegung ihres Kopfes hinüber zur Tür hinter ihr. Da drüben ist die Küche. Ich sehe den Herd, halb durch den Türrahmen verdeckt. Rechts vom Herd, eine Tür, die aus der Küche ins Wohnzimmer führt.

Jemand schlägt mit dem Besteck auf einen Porzellanteller ein. Dann die robuste Stimme meiner Tante Bi, die das Geräusch mit einem gezielten Befehl beendet; Onkel Simis trockenes Lachen und ein Stuhl, der über das Parkett gezerrt wird.

»Meine Güte, Kind, heb doch den Stuhl an!«, quäkt Tante Bertha und gleich danach höre ich die sanfte Tenorstimme von Onkel Hans nach meiner Mutter rufen: »Gudrun, weck sie jetzt auf, wir fangen an!«

Die Hand meiner Mutter ist unter meiner Wange. Die Spitzen ihrer Finger klopfen gegen meinen Hinterkopf. »Nun komm schon, steh auf, hm!?«, sagt sie.

»Was ist, wenn ich lieber liegen bleiben will?«

Ihre freie Hand klopft auf meinem Kniegelenk herum. »Denk an deine Großmutter, Indigo, heute ist ihr achtzigster. Wer weiß, wie oft wir sie noch so feiern werden.«

Ich setze mich auf. Meine Mutter schiebt ihre Arme unter meine Achseln und zieht mich auf die Beine. Sie ächzt. Ich bin nicht groß, aber ich bin auch nicht leicht. Darin sind wir uns ähnlich. Auch wenn Genforscher bei uns wohl nicht viele Übereinstimmungen finden werden – außer dem, was eben immer übereinstimmt, was immer ähnlich ist beim Menschen.

»Mir ist schwindelig«, sage ich. Meine Mutter legt ihre Arme um mich wie einen Rettungsring. »Atme mal kräftig.« Ich atme gegen ihre Arme an, gegen ihren Brustkorb.

Ich versuche, ihr in die Augen zu schauen. Das Blut in meinem Körper fließt langsam wie ein Strom aus Gel und treibt schwarze Schatten zwischen uns.

»Na, wird's besser?«

»Ja«, sage ich, »langsam«, und drücke meine weichen Knie gerade.

Wir gehen hinüber zu den anderen. Durch die Tür, die in die kleine Küche führt. Durch den schmalen Flur in das Wohnzimmer, wo alle um einen großen, runden Tisch sitzen, in dessen Mitte das riesige Aquarium eingelassen ist, in dem mein Großvater, als er noch lebte, seine Fische hielt und in dem jetzt nur noch ein Fisch ist, der dort umherschwimmt und die Beine unserer Familie durch die dicke Glasscheibe beglotzt. Ein Goldfisch namens Goldie.

2 In solchen Augenblicken kommt die Kindheit einem hoch wie Sodbrennen. Ich sitze auf dem Sessel in meinem Zimmer, rauche, trinke Kaffee. Es ist Morgen. Habibi schläft noch. Von Zeit zu Zeit wälzt er sich von einer Seite auf die andere. Manchmal höre ich, wie er im Schlaf leise vor sich hin brabbelt, wie er manchmal wimmert und sich mit seinen Albträumen bespricht.

Ich schau aus dem Fenster auf die Gleise der Hochbahn raus, wo die U2 alle paar Minuten vorbeirattert, beruhigend monoton in einer Stadt, in der nie irgendetwas völlig still hält und die einem die Sehnsucht nach ein bisschen Wiederholung in die Zellen treibt. Ich zähl die Züge, die vorbeifahren, meditier mich in den Tag rein oder der Tag meditiert sich in mich rein, während mein Körper seine Restpromille abbaut. Bilder dünsten aus dem Gewebe ...

Die Sonne scheint und bringt den gelben Putz unseres Hauses in Accra zum Leuchten. Mein Vater, in einen weiten grünen Stoff gehüllt, bildet eine Diagonale im Rechteck des Türrahmens. Ich knie auf dem Rücksitz eines Taxis und schau zurück. Die Diagonale entfernt sich wie ein Bündel Reisig, das der Wind davontreibt. Ich heb die Hand zum Abschied. Bye Dad! Der Guardian schiebt das Tor zu unserem Grundstück zu, als sei's ein Vorhang und das Theaterstück beendet. Applaus!

Meine kleine Schwester sitzt neben mir, spielt mit einer Puppe. Sie ist sieben. Ich bin zehn. Sie übernimmt das Heulen, ich das Grübeln. Ich dreh mich um, setz mich hin, schaue nach vorne. Wir biegen unter einem Schild ab, auf dem ein Flugzeug abgebildet ist und ich fang an, nachzudenken, frage mich, wann ich wohl das nächste Mal mit meiner Granny zum Markt gehen kann und was ich dann einkaufe.

Ich war nicht blöd als Kind. Ich wusste, dass das der richtige Augenblick war, über Dinge nachzudenken, die bis dahin normal gewesen waren. Ich wusste, dass ich meinen nächsten Marktbesuch wahrscheinlich als Touristin erleben würde, und das Zeug, das ich im Kopf in meinen Einkaufskorb packte, war genau das, was ich in den Taschen der Touristen auf dem Markt in Accra gesehen hatte: Trommeln jeder Größe. Silberschmuck für Hals, Handgelenke, Fußgelenke und die Ohrläppchen, geschnitzte Holzfiguren und Amulette, die angeblich fruchtbar machen. All das würde ich dann kaufen, dachte ich, wenn ich wieder mit meiner Granny über den Markt zog. Ich würde sie schocken, dachte ich, meine Granny, meinen Dad und meine Mutter auch, und ich würde damit prahlen, egal wohin sie mich verschleppten. Darüber dachte ich nach und über diesen Gedanken schlief ich ein. Als ich aufwachte, saß ich wieder in einem Wagen. Das Fenster war geöffnet. Die Luft roch nicht nach Meer, roch nicht nach Accra, nicht nach dem, was mir vertraut war. Der Himmel war weiß. Ich saß festgeschnallt in einem Kindersitz. Meine Schultern taten weh. Meine Schwester, neben mir, ebenso festgeschnallt wie ich, heulte wieder oder immer noch. Ich dachte: wo um Himmels Willen sind wir jetzt gelandet, dass man uns so fesseln muss?

Den Wagen lenkte ein Mann, der uns einige Wochen zuvor in Ghana besucht hatte. Ich dachte, er sei vielleicht ein Missionar, aber meine Mutter sagte, ich solle ihn Großvater nennen und das machte mich stutzig. Großeltern hatte es auf der Seite meiner Mutter nie gegeben. Die Seite meiner Mutter, das waren bis dahin immer nur meine Mutter selbst, meine Schwester, ich und mein Vater. Der Mann am Steuer tätschelte meiner Mutter über die Hand. Ich hörte seine beruhigende, dunkle Stimme: »Du wirst sehen, sagte er, alles wird gut werden.« Und meine

Mutter nickte, wandte ihren Kopf zur Seite und schaute schweigend aus dem Fenster.

Insgesamt fiel mir das Leben in Deutschland leichter als meiner Schwester. Ich lernte, dass der Missionar tatsächlich mein Großvater war und dass es auch hier eine Großmutter gab, mit der man auf den Markt gehen konnte. Ich lernte, wie ich mir in der Schule Respekt verschaffen konnte, riss büschelweise Haare aus, wenn meine Mitschülerinnen mich wegen meiner Hautfarbe hänselten, schlug Nasen blutig und wälzte mich mit Jungs im Dreck. Ich entwickelte ein todsicheres Gespür dafür, wann die Zeit gekommen war, meine Mutter in die Schule zu zitieren, damit sie erklärte, warum ich tun musste, was ich tat; und ich kapierte, dass ich bei meinen Klassenkameraden einen guten Stand hatte, wenn ich im Erdkundeunterricht beim Thema Afrika meinen Lehrern widersprach und ungefragt und stundenlang über meine Oma in Ghana schwadronierte. Ich stellte fest, dass es zwischen mir und meiner Schwester einen Riesenunterschied gab: Sie wollte gute Noten – ich wollte nur Respekt; und von daher hatte ich es leichter. Ich musste den Leuten nichts erklären, um mein Ziel zu erreichen, war nicht von ihrem Wohlwollen abhängig. Ich brachte alles mit, was ich brauchte: eine große Klappe, einen großen Körper und ein Ego, das groß genug war, die Pubertät dazu zu nutzen, den Exotikfaktor mit abgefahrenen Klamotten und ausgefallenem Gehabe auf die Spitze zu treiben. Ich war der Knüller der Schule, der Knüller des Viertels. In unserer Kleinstadt kannten mich alle. Die Pubertät war wie ein Mantel, den man über dem echten Problem ausbreiten konnte, und der Mantel passte mir gut. Es hielt nicht lange an.

Vier Jahre. Dann kam wieder: Taxi, Flughafenschild und der Rücksitz eines Wagens, der durch unsere neue Heimat fuhr.

Mein total geschocktes Hirn folgt meinen Blicken über eine sich scheinbar endlos dahinziehende graue Asphaltstrecke, gelbe Mittelstreifen, breite Rasenflächen um weiß gestrichene Holzhäuser. Mein Vater, wieder in einem Rechteck. Diesmal liegt das Rechteck quer, ist insgesamt breiter und mein Dad steht in der Mitte aufrecht. Das Garagentor ist geöffnet. Er steht mit verschränkten Armen vor dem gigantischen Heck eines alten amerikanischen Schlittens. Wir fahren auf die asphaltierte Einfahrt vor der Garage. Meine Mutter am Steuer. Der Wagen steht noch nicht mal richtig, da reißt meine Schwester schon die Tür auf, brüllt: »He, abgefahrene Karre!«, springt aus dem Wagen und fällt meinem Vater in die Arme. Meine Euphorie hält sich in Grenzen.

Die Verbindung zu meinem Vater ist eine geometrische geworden. Ich glaube in diesem Augenblick, Mathe besser zu verstehen, als jemals zuvor. Alles scheint berechenbar und hinter jeder meiner Formeln steht die Befürchtung, dass wir diese Einfahrt eines Tages runterrollen könnten und mein Dad vor dem Garagentor wieder zu einer Diagonalen wird.

Ich sitz da auf dem Rücksitz, irgendwie will nichts in mir aus diesem Wagen raus. Ich weiß nicht, ob meine eigenen oder die Gefühle meiner Mutter zauderhaft sind, ob ihre Gefühle auf mich überspringen; sodass ich ihre fühle, aber denke, es seien meine – oder ob wir ein Gefühl teilen, das sich in dem Moment in einer einfachen Frage zusammenfassen lässt: »Wie lange wird es diesmal gehen?«

Und meine Mutter löst ihren Anschnallgurt, wendet sich zu mir nach hinten, tätschelt auf meiner Hand rum und sagt: »Du wirst sehen, es wird alles gut.« ›Na dann!‹, denke ich und steige aus einem auf Eisschrankniveau runtergekühlten Mietwagen, voll rein in die subtropische Schweißsuppe eines Sommers in Georgia.

Und ich komm aus dem Grübeln nicht mehr raus, sitze da jeden Tag wie auf heißen Kohlen, schlag die Zeit tot, bis die High School durch ist und ich nach Deutschland kann. Alleine, und bevor meine Mutter irgendwas Neues ausheckt, schlag mich so durch, denke schon nach kurzer Zeit, dass Kanada der eigentliche Bestimmungsort meiner Multikulti-Odyssee hätte sein sollen, geh nach Berlin, weil ich mich so durchschlag und gehört hab, dass es alle dort so machen, suche Kanada in Prenzlauer Berg, finde nichts; irgendein durchgeknallter Fotoamateur läuft mir über den Weg, findet mich wunderschön, fotografiert mich, ich modele, schlag mich als Model durch, will nach Kanada, hänge viel in Kreuzberg rum, treffe Olaudah ...

... Vierzehn. Als Habibi sich drüben im Bett langsam aufrappelt und draußen vor dem Fenster der nächste Zug vorbeifährt, bin ich bei vierzehn angelangt und die Uhr zeigt zehn. Das ist der Moment! Das ist der Moment, ihm endlich zu sagen, dass ich es einem Zufall zu verdanken habe, immer noch im Plusbereich der Zeit zu sein. Sie haben Olaudah noch nicht rausgelassen ...

Ich saß da im Hof, der Typ mit der Lupe kam durch die Stahltür und hat die Hände so hochgehalten, dass ich gleich wusste: kannst aufhör'n am Anstrich dieser blöden Bank rumzuknibbeln, kannst nach Hause gehen! Sie werden ihn auch heute nicht entlassen!

Ich ging raus, peinlich berührt von meiner eigenen Beschwingtheit; hätte kämpfen müssen für ihn, hätte mich da aufbauen müssen und denen sagen, dass jetzt Schluss ist mit Verarsche und ich solange an ihrer Bank, an ihrem Hof, an ihrem ganzen Verhau aus Stahl, Beton und Draht rumknibbel, bis alles zusammenfällt.

Und ich: bring's nicht weiter als bis zur Headline: RUTHA-
PONG, PEINLICH BERÜHRT VON EIGENER BESCHWINGT-
HEIT!
Ich dachte: okay, ein unglücklicher Glücksfall. Meine
Chance. Mach was Gutes draus. Bereite dich vor, bereite Ha-
bibi vor, bereite Malik vor. Sei besser als deine eigene Mutter,
zumindest in dieser einen Sache!

... Die nächste gelbe Schlange rattert draußen vor dem Fenster
vorbei. Nummer fünfzehn. Ein paar Fahrgäste bewegen sich im
Innern gegen die Fahrtrichtung. Es gibt mir dieses komische
Gefühl, das Wörter mit doppelter Bedeutung manchmal aus-
lösen und ich fang an zu kichern.
»Was gibt's zu kichern?«, fragt Habibi und über seinen
Stimmbändern liegt noch der heisere Schleim der Nacht.
»Nix«, sage ich, schaue zu ihm rüber, ziehe an meiner Zigarette. Er räuspert sich, sitzt jetzt aufrecht im Bett; Rücken an
der Wand, reibt sich mit den Handballen die Augen. Dann
Schweigen. Es dauert lange. Mein Einsatz: »Du...!?« Er
schnauft ein verschlafenes »Hmh?« herüber. Ich sage: »Hör
mal, mein Lieber, wenn ich gestern irgendwas Abfälliges über
die DDR gesagt haben sollte, dann tut mir das leid, okay?« Ich
schau aus dem Fenster. Die Reiberei auf seinem Gesicht hört
endlich auf. Ich warte auf seine Ausführungen zur vorangegan-
genen Nacht. Es kommt nichts. Also mache ich selbst weiter:
»In Anbetracht meines gestrigen Zustands möchte ich nicht
für etwas verantwortlich gemacht werden, was ich vielleicht gesagt haben könnte und was eventuell deine Gefühle als redlicher
Mitbürger der Ex-DDR verletzt haben könnte, verstehst du?!«
Ich höre, wie seine Dreads an der Tapete ein leises Rascheln ver-
ursachen, dann: »Mann!... Guten Morgen erstmal!«

Ich muss lachen. »Ja, hey, sorry«, sage ich und: »War'n Joke! Nimm's nich' krumm, okay?« Ich ziehe an meiner Zigarette, drücke das Ding dann im Aschenbecher aus. Er schafft sich aus dem Bett, geht rüber zur Tür. Als er schon im Flur ist, rufe ich so laut ich kann: »Moin!«

Ich höre, wie er die Tür zum Badezimmer öffnet, den Wasserhahn aufdreht und wie das Wasser in das alte Porzellanbecken rauscht. Draußen rattert der sechzehnte Zug vorbei. Ich rutsche tiefer in den Sessel, lege meinen Kopf auf die Sessellehne und denke: ›Ich muss dir was sagen! Ich muss dir was sagen! Ich muss dir was sagen und kann nicht!‹

Malik kommt reingetapert. Er bleibt an der Tür stehen, nicht wie sonst, wo er sich, wenn er reinkommt, gleich aufs Bett schmeißt. Wie lange hat er wohl in seinem Zimmer ausgehalten, um uns aus dem Weg zu gehen, frage ich mich. Es muss schlimmer sein als Hunger; das Gefühl, dass was nicht stimmt, während man gleichzeitig nicht weiß, was los ist.

»Komm«, sage ich, streck den Arm zur Seite aus, das Gesicht zum Fenster, »komm zu mir, mein Junge.«

★ ★ ★

Die Dunkelheit frisst meine Stimme wie eine Kröte, die mit klebriger Zunge eine Fliege fängt. »Onkel Hans!?«, schreie ich noch einmal, so laut ich kann.

Mein Körper ist wie ein Einsatzwagen in einem Verkehrsstau, der sich durch die Finsternis vorantastet und meine Sinne sind wie die Sirenen auf dem Dach. Ich höre ihr Geheul. Ich spüre es. Ich taste mich an der Wand entlang. Der Putz unter meinen Händen macht meine Nerven zu Feuerbahnen, die mich im Innern zu verbrennen drohen. Dann strecke ich die Hände nach vorne, um mich vor harten Gegenständen zu schützen, und meine Augen sehen in der Dunkelheit alles, was in mir ist: zerrissenes Zelluloid von Angstfilmen, deren lose Enden in rasenden Filmspulen umherschleudern.

»Hans!?«, rufe ich ängstlich und warte dann still, den Kopf leicht nach unten gesenkt, in der Hoffnung, so besser hören zu können.

Dann spricht plötzlich eine Helium-Stimme ganz dicht neben mir in die Dunkelheit hinein und eine Kinderhand betastet meinen Körper. »Jungs«, sagt die Stimme, »mach doch mal einer Licht! Ich denk, hier is' was Hübsches für uns!«

Ich stehe wie erstarrt, spüre, wie die kleinen Finger an meiner Brust rumdrücken ...

Eigentlich ist das die beste Zeit im Dizzy. Draußen ist es dunkel, alle Gäste sind weg und Hans und ich räumen den Laden auf. Wir hören Musik, manchmal reden wir ein bisschen, jeder macht seine Arbeit: die friedlichste Zeit in meinem Leben.

Ich hatte die Tür abgeschlossen, betrachtete noch eine Weile den Regen, der draußen in dichten Fäden auf den Asphalt runterging. Dann dimmte ich das Licht noch ein wenig mehr, löschte die Kerzen, wollte mit dem Gläserspülen beginnen, aber die offene Luke, die runter zum Kellergewölbe führt und über die Hans schon einige Zeit zuvor verschwunden war, um Wein zu holen, starrte mich unentwegt an.

Ich sah hinunter auf die alte Holzleiter, an deren unteren Ende Olaudah gestanden hatte, als ich sie zuletzt hinaufgestiegen war. Ich beugte mich hinab und rief: »Onkel Hans!?«, bekam keine Antwort.

Ich nahm meinen ganzen Mut zusammen, ging vorsichtig über die Stufen hinunter. Unten schaltete ich das Licht an. Als ich da stand und den langen Gang entlangschaute, glaubte ich, Olaudah müsse irgendwo in der Nähe sein. Ich sah ihn nicht, roch jedoch einen süßlichen Pudergeruch, den ich bis dahin nur an ihm wahrgenommen hatte, und meinte, irgendwo in meiner Nähe die Wärme eines anderen Körpers zu spüren. Es beruhigte mich ein wenig, zu wissen oder glauben zu können, er sei bei mir, aber zugleich beunruhigte es mich, weil mit ihm immer eine Welt in Verbindung stand, die bedrohlich war und in der ich mich nicht auskannte.

Ich rief noch einige Male nach Onkel Hans: keine Antwort. Also ging ich tiefer in den Keller hinein, bis das Licht plötzlich ausging und ich in der Finsternis stand.

... Mein Herz rebelliert im Körper. Meine Sinne suchen in der Dunkelheit nach Halt. Ich schreie nach Hans, so laut ich kann. Dann die Helium-Stimme dicht neben mir und ihr fieses Lachen, das zwischen den alten Mauern hin und her geht.

»Jungs, mach doch mal einer Licht! Ich denk, hier is' was Hübsches für uns!«

Als das Licht angeht, ist es so grell, dass meine Augen schmerzen. Ich bedecke mein Gesicht mit einem Arm. Die Kinderhände nesteln am Stoff meines Sweatshirts rum. »Musst dich doch nicht verstecken, Täubchen«, höre ich die Helium-Stimme sagen. Langsam lasse ich den Arm sinken und blinzele, bis sich meine Augen an das Licht gewöhnt haben.

Vor mir steht ein Sarotti-Mohr. Er reicht mir ungefähr bis zur Brust. Über seinem dunklen Gesicht thront ein riesiger blau-rot-gestreifter Turban, der von einer weißen Spange zusammengehalten wird. Auf dem Turban, über seiner Stirn, prangt ein großes S. Er trägt leuchtend rote Pumphosen, die mit goldenen Sternen verziert sind, und der dunkelblaue Blazer über seiner Weste scheint ihm ein wenig zu eng zu sein.

»Na also, Täubchen, geht doch«, sagt er und wendet seinen Kopf nach hinten, wo gerade vier weitere Zwerge auf dem hell erleuchteten Gang erscheinen, die sich von dem vor mir lediglich durch die Farben der Turbanspangen unterscheiden und die Mehl von ihren Kleidern klopfen. Der mit der Helium-Stimme legt seine kleine Hand auf meine Schulter.

»Na«, sagt er und schaut dabei weiter zu den anderen nach hinten, »was sagt ihr?«

Die anderen lachen auch dieses eigenartige Helium-Lachen, das zwischen den Wänden spielt, als sei es von irgendeinem unsichtbaren Lautsprecher verstärkt.

Einer kommt ein paar Schritte vor, reibt sich das Mehl von den Händen und grinst breit. »Ist doch ne süße Maus.« Er trägt eine rote Spange an seinem Turban. Die anderen kichern.

Ich drehe mich um, will wegrennen, aber die Kinderhand an meiner Schulter zieht sich am Stoff meines Sweatshirts zusammen wie ein Strick.

»Nicht doch, nicht doch, nicht doch«, sagt er und zieht mein Gesicht ganz nah an seins heran. »Suchst dein Hänschen, hm?«, fragt er und drückt meine Stirn gegen sein Gesicht.

»Such's Hänschen, such's Hänschen«, äffen die anderen im Chor.

Dann zerrt mich der Sarotti, vorbei an den anderen Zwergen, einem Raum entgegen und ich wundere mich über die Kraft, die in seinem Kinderkörper steckt, will mich dagegen wehren, will seine Hand von meinem Sweatshirt losmachen, aber er hat Kräfte wie ein Vieh.

»Komm schon Herzchen, ich will dir doch was Gutes tun«, sagt er, lacht, und der Zwerg mit der roten Spange am Turban verpasst mir einen heftigen Tritt in den Hintern. Gelächter.

»Autsch«, sagt das Vieh und ich hänge an seinem Arm wie ein Kätzchen im Maul der Mutter. Er zerrt mich in den Raum rein. »Sam«, sagt er dann aufgekratzt, »du bist manchmal so unzivilisiert. Ich finde, du könntest dich mal ein bisschen humaner geben.«

Dann lässt er mich unvermittelt los und ich falle auf ein Kissen aus Mehl, fange an zu husten, setze mich auf, ringe nach Luft. Die Turbanträger haben sich an der Tür aufgestellt und sehen auf mich runter. Einer mit blauer Turbanspange sagt: »Na, Getreideallergie?«

Ich antworte nicht, bin nur mit meinen Bronchien beschäftigt, die sich wie Pupillen im Licht zusammenziehen. Das Vieh tritt mir mit seinen pseudo-orientalischen Latschen wuchtig gegen das Schienbein. »Er hat dir eine Frage gestellt, du Göre, also antworte gefälligst!« Ich nicke asthmatisch. Dann sagt der andere: »Sowas können wir uns nich' erlauben. Ist doch so, oder?« Die Zwerge nicken synchron und einer sagt: «Nee, da könnten wir gleich einpacken in unserm Job.«

»Ich könnte verrecken, Mann!«, rufe ich zwischen zwei hart erkämpften Atemzügen. Das Vieh beugt sich zu mir runter und brüllt: »Ach ja, ist das so?!«

Ich habe das Gefühl, es ist ihm scheißegal, ob ich lebe oder tot bin.

»Was wollt ihr von mir?«

Er dreht sich zu den anderen um, lacht. Alle Fünf lachen. Dann beugt er sich wieder zu mir runter und sagt: »Du willst doch was von uns, oder?!« Er schlägt mir mit der Faust gegen die Schulter. Als ich nicht gleich antworte, schlägt er nochmal zu und brüllt dann: »Du bist doch hier runtergekommen, oder!?«

»Ich hab nur nach meinem Onkel gesucht«, sage ich und er dann: »Na, schau dich doch mal um, haben ihn sozusagen für dich konserviert!«

Ich schaue nach hinten. Da liegt Hans auf einem schmalen Holztisch, splitternackt, die Hände an Ketten, die an Metallringen in der Wand befestigt sind, und die Füße sind an den Tischbeinen mit dicken Tauen festgemacht. »Onkel Hans!«, rufe ich und rappel mich hoch, sinke bis zu den Knien in Mehl ein, als ich zu ihm rüber will. Er stöhnt leise, versucht durch das eingerollte Tuch, das sie ihm in den Mund geschoben haben, zu sprechen. Ich verstehe kein Wort, halte mein Ohr an seine Lippen. Seine Haare hängen schweißnass über die Tischkante herunter. Er schaut mich hilfesuchend an, ich versuche, den Knoten zu lösen, mit dem sie das Tuch an seinem Hinterkopf befestigt haben. Der Zwerg mit der roten Turbanspange, Sam, kommt heran und wedelt mit dem Zeigefinger in der Luft herum: »Und das lässt du mal schön bleiben, Prinzessin«, sagt er. Dann öffnet er eine Metallluke hinter sich in der Wand. Mir schlägt heiße Luft entgegen und ich sehe die glühenden Kohlestücke, die in dem mannsbreiten Ofen zu einem kleinen Haufen zusammengekehrt liegen. Sam zieht eine Eisenstange aus dem Ofen. Das flachgeschlagene Ende der Stange glüht. Er schaut mich an, fuchtelt mit dem Ding vor meinem Gesicht herum.

»Na, na, na, jetzt hast du unseren Kumpel aber wütend gemacht«, sagt einer von den anderen, die noch immer in einer Reihe an der Türseite des Raums stehen.

Der mit den Viehkräften nickt wild: »Mach unsern Sammy nich' wütend, hörst du?«

Hans zerrt an seinen Fesseln. Ihm läuft Spucke aus dem Mund und das Tuch hat sich schon dunkel verfärbt. Sam hält das glühende Ende der Eisenstange an Hans' Gesicht.

»So, Süße, wenn du nicht genau das machst, was wir dir sagen, dann muss der gute Hans dafür büßen.« Und er macht eine Geste, die mir anzeigen soll, dass er Hans in dem Fall das glühende Eisen ins Gesicht rammen wird.

Die anderen kommen einige Schritte nach vorne. Einer springt auf den Mehlhaufen. Sein Körper scheint so leicht zu sein, dass er nicht einsinkt, wenn er über das weiße Pulver läuft.

»Was wollt ihr von uns? Was haben wir euch getan?«

Das Vieh schaut amüsiert in die Runde und die anderen fangen an zu lachen.

Der mit der Eisenstange fragt: »Willst du's ihr sagen oder darf ich?« Das Vieh macht eine bedröppelte Miene und meint dann: »Schön, Ladys first.« Stammtischgelächter macht sich im Raum breit.

Als Sam sich lautstark räuspert, werden alle plötzlich ganz still. Er sieht mich lange und eindringlich an. »Also ... wir wollen, dass du vögelst, Schätzchen.« Lautstarkes Gelächter. Einer hält sich den Bauch vor Lachen. Ein anderer wälzt sich am Boden und bewirft sich selbst mit Mehl.

Hans zerrt wild an den Stricken. Ich lege meine Hand auf seinen Oberschenkel, um ihn zu beruhigen.

»Das könnt ihr vergessen!«, sage ich und schaue Sam fest in die Augen. Der nimmt die Eisenstange und drückt das glühende Ende in Hans' Gesicht. Hans schreit laut auf und sein Körper biegt sich vor Schmerzen. Ich will zu dem mit der Eisenstange rüber, aber das Vieh zerrt mich an den Haaren zurück und drückt mich zu Boden.

»Haben wir nich' gesagt, dass du schön artig sein sollst, du kleine Schlampe!?«, brüllt er und die anderen kommen hinter ihm heran.

Ich schaue ihm in die Augen und alles, was ich sehe, ist blanker Hass, Verachtung, Niedertracht. Mir schießen die Tränen in die Augen. Ich höre, wie Hans vor Schmerzen wimmert. Ich will zu ihm, will ihn losbinden, ihn befreien, aber das Vieh hält mich am Boden; ein anderer hält meine Füße fest, jemand reißt mir meine Hose runter und ich schreie so laut ich kann nach Olaudah.

»Hör auf zu plärren, du blödes Ding!«, brüllt das Vieh und über meinem Gesicht schwingt die glühende Eisenstange. Aber ich brülle, schreie Olaudahs Namen in diese alten Gewölbe, diese stinkenden Gänge, in das Mehl, mit dem sie mich fast ersticken.

»Halt jetz' endlich die Fresse!«, schreit einer und schlägt mir mit der flachen Hand ins Gesicht. Hans rüttelt am Tisch, reißt an den Ketten. Wo bleibt Olaudah? Warum kommt er nicht, um mir zu helfen?

Ich krieg kaum noch Luft. Das Vieh hat mich auf den Rücken gedreht, mir die Arme auseinandergezogen und ein anderer hat mir das Sweatshirt ausgezogen. Ich hab nur noch meine Unterhose und meine Bergstiefel an, kann nicht mehr schreien, schnappe nach Luft wie ein Fisch, den sie aus dem Wasser gezogen haben; zwei hängen an meinen Beinen, zwei an meinen Armen. Ich winde mich im Mehl, bis ich mich nicht mehr bewegen kann. Das Vieh flüstert mir ins Ohr: »Sei ruhig, Täubchen, sei ganz ruhig, wirst sehen, es wird schön.« Ich nehm jedes bisschen Sauerstoff, das ich noch kriegen kann. Mehl in meinem Mund, Mehl in meinen Schuhen, meiner Unterhose, paniert meinen ganzen Körper. Ich will sterben, scheine mein Ziel auch langsam zu erreichen; meine Sinne schwinden und ich komm erst wieder zu mir, als mir einer von den Turbanträgern ein paar Mal heftig ins Gesicht schlägt.

»Hör mal«, sagt das Vieh ruhig und ich spür wie sein Ohr meine Lippen berührt, »bist doch noch da, oder?«

Ich antworte nicht, will nur noch, dass es vorbei ist. Dann sagt er: »Wir wollen dich ja nicht selbst ficken, können wir ja gar nicht ... « Wieder zieht heliumgeschwängertes Stammtischlachen durch den Raum. » ... Wir wollen doch nur zusehen, hm!?«

»Ja, nur zusehen, nur zusehen!«, äffen die anderen.

Sam zieht gerade wieder die Eisenstange aus dem Ofen und hält sie drohend vor mich hin. Ich richte mich auf, gehe zum Tisch, auf dem sie Onkel Hans gefesselt haben. Von hinten drängt sich das Vieh an mir vorbei, stellt sich neben dem Tisch auf und zeigt auf Onkel Hans' schlaffes Glied.

»Na, dann zeig mal, was du drauf hast«, sagt er. Die Zwerge lachen.

Ich versuche, ruhig zu atmen. Das Vieh tippt mit dem Zeigefinger auf den Tisch wie ein Dompteur. Sam richtet die Eisenstange auf Hans' Hals.

»Bitte«, sage ich leise, »bitte nicht.«

Dann zerrt mir einer die Unterhose vom Leib und ich stehe nackt da, hab nur noch die Schuhe an.

Wo ist Olaudah, denke ich, warum hilft er mir jetzt nicht, warum ist er nicht da, wenn ich ihn brauche?

Ich stütze mich mit den Händen auf dem Tisch ab, setze das eine Knie auf die Holzplatte, dann das andere. Ich nehm Hans' Glied in die Hand und beginne, es zu massieren.

Die Zwerge haben sich rechts neben dem Tisch zusammengerottet und schweigen. Einer kommt heran und drückt meinen Kopf runter, schlägt mir auf den Hinterkopf, als ich mich dem Druck seiner kleinen Hand widersetzen will. Ich nehme Hans' Glied in den Mund. Es schmeckt nach Salz, nach Meer und ich versuch ans Meer zu denken; an den Strand, die Wellen, Urlaub im Ostseebad mit der Familie. Irgendwo im Äther dieser zweiten Welt hör ich Hans leise stöhnen und spüre wie sein Körper sich verkrampft.

»Is' schön so«, flüstert eine Heliumstimme, »machst du fein, mein Täubchen.« Alles schmeckt nach Verachtung. Es ist als würd ich an den modrigen Wänden dieser alten Kellergewölbe lecken und der Penis sträubt sich gegen meine Zunge, meine Lippen, meinen Rachen.

»Jetzt setzt du dich auf ihn drauf«, höre ich die Helium-
stimme und klebrige Kinderfinger betatschen meinen Hintern,
schieben mich nach vorne. Ich stütze meine Hände auf Hans'
Brust ab, bewege mich langsam. Alles was ich spüre ist, wie so
ein uralter Hass in mir nach oben steigt und sich ganz langsam
in mich reinbohrt.

Dann verlassen die Zwerge still den Raum, verschwinden über
den Gang, und ihre Schritte sind schon bald nicht mehr zu hören. Langsam steige ich vom Tisch herunter, mache Hans von
seinen Fesseln los, löse das Tuch, mit dem sie ihm den Mund
verbunden haben. Er richtet sich auf. Ich wage nicht, ihn anzu-
sehen. Als er an der Kante des schmalen Tischs sitzt, schaue ich
kurz auf und sehe die Verbrennung auf seiner linken Wange;
ein geröteter Fleck, so groß wie ein Zwei-Euro-Stück. Ich fasse
nach seiner Hand, sage: »Es tut mir leid«, aber er wehrt meine
Berührung ab, steht vom Tisch auf, sucht schweigend seine mit
Mehl bedeckten Kleider zusammen und verlässt den Raum. Ich
bleibe allein zurück, höre, wie auch Hans' Schritte sich langsam
entfernen, dann verstummen. Ich lasse mich auf das Mehl nie-
derfallen und weine nur noch.

★ ★ ★

Ich bin auf der Straße. Die Sonne schimmert kühl zwischen den
Fassaden der Häuser hindurch. Abendlicht. Vor mir geht ein
schwarzer Junge. Er hat nur eine abgeschnittene, kurze, dunkle
Jeanshose an und hält einen großen Sonnenschirm über seinen
Kopf. Wir sind alleine. Er schaut zu mir zurück. Zwischen ihm
und mir gibt es diese sonderbare Verbindung, die ich mir zuerst
nicht erklären kann. Ich folge ihm über Treppen, die zum U-

Bahnhof hinunterführen. Mohrenstraße. Ich bin auf der Suche nach Malik und der Junge mit dem Sonnenschirm führt mich zu ihm!

Der Bahnsteig ist menschenleer. Der Junge springt auf die Gleise und ich gehe hinterher. Da ist die Angst davor, dass ein einfahrender Zug uns überrollen könnte, aber ich vertraue dem Jungen, fühle mich ihm auf eigenartige Weise ausgeliefert. Er ist der Einzige, der den Weg zu Malik weiß.

Fünf schattenhafte, kleine Gestalten in Sarotti-Mohr-Kostümen lösen sich aus dem schwach beleuchteten Tunnel, klettern aus der Fahrrinne auf den Bahnsteig hinauf und verschwinden dann leise durch den Aufgang.

Wir gehen tiefer in den Tunnel hinein. Ich möchte den Jungen fragen, ob er mich auch sicher zu Malik führt, laufe schneller, komme ihm aber dabei nicht näher. Rechts von uns wird eine Tür geöffnet. Ein großer Schwarzer mit Glatze springt auf die Gleise.

»Kumpel!«, ruft er dem Jungen mit dem Sonnenschirm zu. Der dreht sich um, bleibt stehen. Ich gehe weiter, aber die Entfernung zwischen mir und den anderen verändert sich nicht. Ich höre, was der Große sagt: »Sag ma', du weißt doch wo's langgeht, richtig?« Der Junge nickt und zeigt uns mit seinem Schirm an, dass wir ihm folgen sollen. Die Stimme einer Frau hallt durch den U-Bahnschacht: »Olaudah! Olaudah!«, ruft sie. Die Stimme klingt vertraut, aber ich kann sie nicht zuordnen. Der Mann legt dem Jungen seine Hand von hinten auf die Schulter und ich höre, wie er sagt: »Du, Kumpel, wo geht's denn jetz' lang. Ich hab's eilig, weißt du?!« Dann das Fauchen des Jungen, der den Großen wütend anschaut.

Unter mir fangen die Gleise an zu Sirren. Ängstlich schaue ich nach hinten und starre in die zwei runden, weißen Lichter eines Zugs in voller Fahrt.

Dann sind wir in einem von Neonlicht beleuchteten Keller-gang, an dessen glatten, grauen Wänden dicke Rohre verlaufen. Wieder ist der Große mit der Glatze vor mir und vor ihm der Junge mit dem Sonnenschirm. Wieder ist die Stimme der Frau zu hören. Diesmal scheint sie direkt hinter der dicken Wand links von uns zu sein. »Olaudah! Olaudah!« ruft sie, lauter als zuvor, dringlicher.

Der Große wird wütend: »Bruder, sag mal, willst du mich eigentlich verarschen, Mann?! Ich muss da rüber!«, brüllt er und schlägt mit der flachen Hand ein paarmal gegen die Wand. Der Junge dreht sich um und schaut ihn finster an, wieder höre ich ihn fauchen. Er klappt seinen Sonnenschirm zusammen, legt ihn sich über die Schulter, deutet mit dem Kinn zu mir herüber. Der Glatzköpfige dreht sich um, sieht mich, kommt dann mit einigen entschlossenen Schritten auf mich zu, hält seinen Zeigefinger auf mich gerichtet und sagt: »Bist du der-jenige?!«

Ich möchte ihm sagen, dass ich nicht weiß, ob ich derjenige bin, den er meint, und will ihm erklären, dass ich auf der Su-che nach Malik bin und der Junge mit dem Sonnenschirm mir, ohne es zu sagen, das Versprechen gegeben hat, mich zu ihm zu führen, kann aber nicht sprechen.

Dann sehe ich, wie hinter dem Großen der Junge heran-kommt, den zusammengeklappten Schirm hebt und ihn dem Glatzköpfigen in den Rücken rammt. Die Spitze des Schirms tritt durch die Brust aus. Ich sehe, wie der Mann die Augen ver-dreht. Blut schießt aus seinem Oberkörper. Er sinkt vornüber zu Boden. Ein Chor von Stimmen hinter mir ruft aufgebracht: »Du hast ihn umgebracht! Du hast ihn umgebracht!« Ich drehe mich nach hinten um, sehe wieder die zwei runden Lich-ter auf mich zurasen – und der Zug rattert über mich hinweg.

Ich erwache. In meinem Mund wälzt sich Speichel, und der Speichel schmeckt nach Blut. Neben mir, ein, zwei Schritte entfernt, sitzt Rutha auf dem Sessel und schaut aus dem Fenster. Im dichten, weißen Rauch, den sie vor sich in den Raum bläst, löst sich das Gesicht des glatzköpfigen Mannes langsam auf und verschwindet schließlich ganz. Sie kichert.

»Was gibt's zu kichern?«, frage ich.

»Nix«, sagt sie und ich bringe mich in die Senkrechte, lehne den Rücken gegen die Wand, sitze da, denke an die Nacht, die Heimfahrt und wie wir in der U-Bahn saßen, Rutha und ich nebeneinander; Malik, gegenüber, hatte sich auf dem Sitz zusammengerollt und schlief.

Wir waren gerade in den U-Bahnhof Stadtmitte eingefahren. »Schau dir diese riesengroße Scheiße an, Mann!«, rief Rutha und zeigte auf einen Zeitungsaufsteller, der auf dem Bahnsteig stand. Ich sah hinaus, las die dicken Lettern einer Überschrift: ZUWANDERUNGSGESETZ IM BUNDESRAT – CDU VERLÄSST GESCHLOSSEN DEN SAAL!

Einige Fahrgäste stiegen ein und mit ihnen schob sich eine Wolke von Regenduft in den Wagen; Regen, der aus Kleidern trat, aus den Haaren, dem durchtränkten Leder der Schuhe und Handtaschen. Die Türen schlossen, der Zug fuhr an. Rutha lehnte sich zu mir herüber. Ich sah in ihre vernebelten Augen, folgte dann ihrem Zeigefinger, der vor meinem Gesicht in der Luft herumgeisterte. »Ich sage dir mal was, Habibilein«, lallte sie, »die wollen uns hier nich' haben, verstehst du? Sie wollen uns einfach aus diesem Land weghaben.«

Als ich nicht gleich etwas sagte, schlug sie mir mit der Faust gegen die Brust. »He, ist doch so, oder?«

»Nimm's nich' persönlich«, sagte ich und verschränkte die Arme. Sie schob ihr Gesicht noch näher an meins heran. »Was heißt hier, nimm's nich' persönlich!? Es is' verdammt persönlich, Mann!«

»Wir haben einen deutschen Pass, oder? Sind hier aufgewachsen. Da geht es doch gar nicht um uns«, sagte ich und es dauerte keine Sekunde, bis ihr Zeigefinger sich einige Male tief in das Fleisch meines Oberarms bohrte.

»Und trotzdem habe ich komischerweise immer das Gefühl, nur geduldet zu sein!«, sagte sie scharf und ich lehnte mich gegen die Seitenwand des Wagens, weniger, um Halt zu finden, sondern eher, um zu vermeiden, dass sie mir direkt ins Ohr schrie.

»Das ist doch nur so eine blöde Show von Politikern, die im Wahlkampf sind«, sagte ich in der Hoffnung, es würde sie vielleicht beruhigen. Doch es regte sie nur noch mehr auf. »Aber diese verdammte Show macht sich in meinem Leben bemerkbar, verstehst du?!« Sie richtete ihren Oberkörper auf.

Ich nickte, hoffte, sie würde sich von alleine wieder abregen und nicht in dieser Nacht, in diesem Augenblick zur Hochform auflaufen, wie sie es schon sooft getan hatte.

»Ich sollte mich doch wohl hier zu Hause fühlen können, richtig!?«, rief sie, und ihre Hand wischte über meine Schulter. »Ey, richtig, Mann, oder was denn?!«

»Ja, schon in Ordnung«, sagte ich und schob mich noch mehr gegen die Seitenwand.

Wir waren inzwischen in den U-Bahnhof Spittelmarkt eingefahren und der Zug hielt. Zwei Nachtschwärmer stiegen ein und lehnten sich lässig an die Kunststoffverkleidung des Wagens, unterhielten sich leise.

»Ey, mich kotzt das alles so an hier!« brüllte Rutha, schwang sich mit einer erstaunlich geschickten Bewegung auf, hielt sich dann leicht schwankend an einer der Haltestangen fest und schrie mit dem ganzen Volumen ihrer gigantischen Stimme:

»Mal an alle hier! Mit dieser Blut-und-Boden-Scheiße ist jetzt ein für alle Mal Schluss, klar!?«

★ ★ ★

Und Onkel Simi sagt: »*Man muss einfach verstehen, dass unsere Wirtschaft ohne Zuwanderung nicht funktioniert, da könnten wir auf lange Sicht einpacken.*«
Wir sind alle vollgefressen und die Gravitationslinie verläuft etwa in Höhe der Tischplatte durch den Raum. Mir ist schlecht. Mein Magen drückt. Durch die Speiseröhre schiebt sich schon der leichte Geschmack von Erbrochenem nach oben.

Meine Mutter und Toni, die jüngste Tochter von Onkel Simi, verlassen den Raum mit einem Stapel dreckiger Teller. Neben mir schiebt sich Tante Bertha noch einen letzten Löffel Crème brulée in den Mund. Daneben sitzen Tante Bi, Onkel Simi, seine Frau Irmgard und dann ihre drei Töchter mit ihren Ehemännern. Meine Großmutter sitzt mir gegenüber auf der anderen Seite des Tischs zusammengesunken in ihrem Rollstuhl. Flora, Onkel Simis zweite Tochter, ist neben ihr und wischt ihr mit einem Tuch über das Gesicht, wenn ihr die Spucke aus dem runterhängenden Mundwinkel auf der gelähmten Seite ihres Körpers trieft.

Onkel Hans, dann Bene, Tante Bis einziger Sohn, Ferdi und Anna, die Kinder von Tante Bertha, Katharina und Hugo, deren Partner, und Luise, auf dem Stuhl rechts von mir, die Tochter von Bene. Die anderen Kinder liegen auf dem Teppich hinter dem Rollstuhl der Großmutter um ein Spielbrett herum oder hängen unter dem Tisch vor dem Aquarium und nehmen Kontakt zu unserem Goldfisch auf.

»Es ist ja aber nicht nur so, dass uns die Einwanderer wirtschaftlichen Nutzen bringen. Wir sollten uns auch fragen, ob

wir sie wirklich wollen und uns auch so verhalten«, sagt Felix.
Er ist der Mann von Simis ältester Tochter, ein hagerer Blonder
mit Vollbart. Irgendwann soll er mal das Unternehmen führen,
wenn Onkel Simi aufhört. Unsere Kaffeefabriken, die Kaffee-
häuser, die Stiftung, die sich für die Ausbildung von Kindern
in den Ländern unserer Rohstofflieferanten einsetzt. Aber Simi
wird nicht müde, allen zu versichern, dass bis zu seinem Aus-
stieg noch eine Menge Wasser die Spree runterfließen wird.

Tante Bertha tupft sich mit einer Stoffserviette über die
Lippen. »Genau darum geht's, mein schlauer Felix! Die kommen hierher, fressen uns die Haare vom Kopf und – das ist jetzt
das Schlimmste! – sie gehen nicht wieder weg!«

Onkel Hans seufzt laut: »Kommt jetzt wieder dieses Über-
fremdungsgequatsche von dir, ja?«

Auf seiner Wange prangt ein riesiges Pflaster. Ich muss da
immer wieder hinsehen, und wenn sich unsere Blicke treffen,
schaue ich zur Seite oder auf den Tisch. Ich will ihm nicht in
die Augen sehen und werde das Gefühl nicht los, dass es ihm
genauso geht wie mir.

»Das ist kein Gequatsche, Hans!«, sagt Tante Bertha und
wirft ihre Serviette auf den Tisch. »Die Leute kommen hierher,
weil sie meinen, das wäre hier das Paradies und werden dann
kriminell!«

»So ein Blödsinn!«, ruft Onkel Hans und Tante Bertha
meint: »Schau dich um, lies die Zeitung, Hans, verschließ
nicht die Augen vor der Realität!«

Tante Bi reibt sich auffällig ihren großen Bauch und sagt:
»Also, mir geht's ja ziemlich gut, schaut Euch meine Wampe
an, Villa im Grunewald...«

Sie breitet die Arme aus, die Handflächen nach oben und
deutet mit vorgerecktem Kinn auf die Mahagonimöbel, den
großen Spiegel an der Wand, den Schinkel, zum Verandafenster

hinüber, vor dem sich unser Garten, unser Anwesen, über dem in diesem Augenblick die Sonne langsam untergeht, viele Hektar weit hinzieht.«...Es würde mir rein gar nichts ausmachen, von all dem ein bisschen was abzugeben.« Alle lachen.

Meine Mutter und Toni kommen mit zwei Tabletts herein, auf denen Espressotassen in geraden Linien aufgereiht nebeneinander stehen. Kaffeegeruch zieht durch den Raum.

»Ah, da kommt er ja, unser Kenianer!«, ruft Onkel Simi und Toni steuert mit dem Tablett geradewegs auf ihn zu.

»Und du?«

Meine Mutter beugt sich zwischen mir und Luise mit dem Tablett nach vorne. Ich winke ab. »Nee, danke«, sage ich und ziehe sie dann sachte am Arm zu mir heran. »Weißt du, was mit Onkel Hans passiert ist?«, frage ich leise.

Sie schaut zu ihm herüber. »Meinst du das Pflaster?«

»Ja.«

»Irgendeine Verbrennung, meinte er vorhin«, sagt sie und ich: »Wann hat er sich denn verbrannt?«

Meine Mutter zieht nur die Schultern hoch und geht dann weiter mit dem Tablett herum. Ich schaue ihr hinterher.

»Also wirklich, Bertha«, sagt Onkel Hans, »deine Einstellung finde ich einfach schockierend.«

»Wieso schockierend?«, blafft Tante Bertha und greift einen Espresso von Tonis Tablett.

Onkel Simi schaltet sich wieder ein: »Also bitte, ihr beiden, ihr müsst das ganz sachlich sehen. Wir brauchen Leute von außen für die Wirtschaft und wir versuchen den Zuzug der Leute zu regeln, das ist alles.«

»Simi, also du klingst ja schon wie dieser Schröder!«, sagt Tante Bertha.

Tante Bi und einige andere lachen, aber Onkel Hans haut mit der Handfläche auf den Tisch und ruft:»Und du klingst gerade so wie Goebbels, meine liebe Bertha!«

In Tante Berthas Gesicht fängt die Galle an zu kochen. Es wird erst weiß, dann rot, dann platzt ihr der Kragen:»Na, das ist ja wohl... das ist ja wohl das Letzte, Hans!«, ruft sie, und im selben Augenblick wird das leise Klopfen einer Hand auf der anderen Seite der Tischplatte hörbar. Ich schaue hinüber zu meiner Großmutter, die noch immer zusammengesunken dasitzt, ihr Körper leicht nach links gebeugt. Sie versucht, etwas zu sagen, aber aus ihrem Mund läuft zuerst nur ein Schwall von durchsichtigem Schleim. Flora fängt die Spucke mit einer Stoffserviette auf und beugt sich dann zu ihr herunter:»Was sagst du, meine Liebe?«, fragt sie.

Alle werden ganz still. Meine Großmutter sammelt sich, man sieht ihrem Gesicht an, wie viel Mühe es sie kostet, die Worte zu formen, und dann sagt sie:»Musik, macht Musik!«

Und schon sind Flora, Toni und die beiden anderen Töchter von Simi und Irmgard unterwegs, um ihre Instrumente aus dem Nebenraum zu holen. Auch Onkel Simi ist aufgesprungen und klatscht in die Hände:»Kommt, kommt, Kinder, spielt was Schönes für uns!«

Meine Großmutter: klopft noch immer mit der flachen Hand leicht und rhythmisch auf der Tischplatte herum. Die Königin der Empfänge, die sie früher gewesen ist, als ich ein Kind war und bevor sie ihren Schlaganfall hatte...

Ich, an ihrem Rockzipfel, eilte hinter ihr durch Säle, in denen reiche Unternehmer mit ihren Gattinnen, Politiker, Bankiers, Professoren an hohen Tischen standen. Ich bewunderte ihre Schuhe, wenn ich nicht zu ihren Gesichtern hinaufsehen konnte, verliebte mich in die Sandalen feiner Damen, den Duft, der von allem ausströmte, und die Hände meiner Großmutter, die liebevoll waren und weich und die mich aus meinem Versteck hinter ihren Beinen hervorholten und den blankpolierten Schuhen, den Kleidersäumen, den Bügelfalten entgegenschoben – vor die Gesichter hin, die lächelten, sich mal zu mir herabbeugten, mal in der Ferne über mir blieben. Ich entwand mich Händen, die mir entgegenfuhren, zog mich zurück hinter die weiten Kleider meiner Großmutter, versteckte mich erneut: das perfekte Kind für die Stiftung des Kaffeeherstellers, der mein Großvater war, genau wie sein Vater vor ihm.

Dann saß ich wie hypnotisiert auf ihrem Schoß, wenn der Festakt zum musikalischen Teil kam, sah die Streicher vorne auf der Bühne, wie ihre Hände über die schwarzen Stege glitten, sich im Vibrato neben ihren Köpfen schüttelten. Mein Gesicht, halb am Hals, hinter den langen, grauen Haaren meiner Großmutter verborgen, roch ich den süßlichen Duft ihres Alte-Frauen-Parfüms und hörte ihre warme Altstimme sagen: »Hör genau hin, Indi, achte auf die einzelnen Stimmen«, wenn sie wie immer die Kunst der Fuge von Bach spielten; weil es nichts gab, was meine Großmutter mehr liebte: Bach, die Kunst der Fuge, wenn sie von einem Streichquartett gespielt wurde. Dann versuchte ich, auf jede einzelne der Stimmen zu hören, versuchte, jeder einzelnen Stimme zu folgen: wie sie gegen die anderen läuft, wie sie sich um die anderen scheinbar windet, wie sie sich mit den anderen verbindet, sich dann von ihnen löst, manchmal zurücktritt und dann wieder hervorkommt. Und der Zeigefinger meiner Großmutter lag ganz leicht auf meiner Hand und tippte mich an, um mir anzuzeigen, wann eine neue Stimme einsetzte.

... Diese eigenartige Traurigkeit alter Harmonien, die sich in meinem Leben festgesetzt zu haben scheinen. Diese Hymne meines Daseins, die sich so sonderbar mit alle dem verbindet, woran ich seit so langer Zeit schon leide. Diese mit meinem Innern fest verwachsenen Gesänge, die genau da Wurzeln bilden, wo meine eigenen abgeschlagen sind. Leichter Schwindel macht sich in meinem Hirn breit. Ich denke: >Atmen, Indi, tief ein und ausatmen, wie es der Arzt gesagt hat.‹

Flora hat sich ihr Cello zwischen die Beine geklemmt, hebt das Kinn und führt ihren Bogen sanft über die Saiten. Einige Takte lang erklingt das Cello allein, langsam und klagend. Dann setzt Toni mit der Bratsche ein. Zwei Melodien laufen sachte und traurig umeinander.

Tante Bertha schiebt aufgebracht ihre Espressotasse auf dem Tisch nach vorne.

»Wollt ihr sie mit dieser Trauermusik ins Grab geigen?«, schimpft sie hinüber zu meiner Mutter, die jetzt hinter mir steht.

»Schschsch«, macht meine Mutter leise. »Du weißt, das ist ihr liebster Contrapunctus.«

»Ja«, meint Tante Bertha, »Bach hat, während er die Kunst der Fuge komponierte, den Löffel abgegeben. Und das soll jetzt erbaulich sein.«

Meine Mutter macht irgendeine beschwichtigende wortlose Geste, die Tante Bertha zum Schweigen bringt, und ich versuche, den Schwindel und die drohende Ohnmacht zu bekämpfen, indem ich mich auf meine Atmung konzentriere. Versuche, den einzelnen Stimmen zu folgen ... spüre den Zeigefinger meiner Großmutter, die Stelle auf meiner Hand, an der sie mich immer so leicht berührte, bin in den Sälen, auf dem Stuhl vor der Bühne, geborgen auf ihrem Schoß, mit ihrem Duft, der mich umgibt, mich in eine wohlige Taubheit hüllt; folge dem Cello, der Geige, den Bratschen in einen Wald aus Melodien.

★ ★ ★

Ich hetze durch einen langen, schmalen Flur. Rechts die alten, breiten Fenster, unterteilt nur durch die Wände aus nacktem Backstein. Links, alle vier, fünf Meter eine Tür. An einer der Fensterbänke lehnt ein Typ in einem Anzug aus rotem Leder. Pferdeschwanz, Cowboystiefel, lässige Haltung. Er unterhält sich mit einer Frau. Ich sehe nur ihr Profil über dem Schulterpolster des Typen und ihre perfekte Wade, den schwarzen Absatzschuh.

»Hey Leute!«, rufe ich und stakse mit langen Schritten über das glänzende Parkett, »wo geht's zur Garderobe der Models?!«

Die Hand des Typen im roten Anzug schnellt nach oben, fährt über dem Profil der Schönen einige Zentimeter vorwärts und biegt dann scharf nach links ab...

Ich hatte in meinem Zimmer auf dem Sessel gehangen. Noch immer auf dem Sessel! Irgendwie hatte mich dieser Tag in einer halb betäubten Stimmung gehalten und mein Körper war zwischen dem Verdauen seiner Dosis aus der Nacht zuvor und dem Verlangen nach dem nächsten Kick gefangen. Das Telefon klingelte. Ich hob ab, murmelte ein verschlafenes »Hallo« in den Hörer. Sandra war dran. Ihre Stimme schlug mir gegens Trommelfell wie ein Kanonenschlag. »Ruthie!«, rief sie aufgeregt und ich: »Hey, Sandy, was gibt's?«

»Hör mal«, sagte sie, »eins von meinen Mädels ist kurzfristig für unsere Show heute Abend ausgefallen, könntest du nicht vielleicht einspringen?«

Ich hatte seit ungefähr zwei Monaten überhaupt keine Jobs gehabt und brauchte das Geld dringend, wollte sie das aber nicht gleich spüren lassen. »Und da denkst du erst jetzt an mich?«, nörgelte ich.

»Ja, na ja, Ruth, nimm's nich' persönlich, ja!? Du weißt ja, wie's hier manchmal ist.«

»Klar«, sagte ich und nahm mir vor, sie mindestens fünf Minuten zappeln zu lassen.

»Und? Kannst du nun oder nicht?«

»Warte mal kurz, Sandy, ich werf mal eben nen Blick in meinen Terminkalender.«

Ich kramte in irgendwelchen Sachen rum, hielt den Hörer daneben, kramte noch ein bisschen und klemmte mir dann den Apparat unters Kinn.

»Du?!«, sagte ich, und sie dann ganz aufgeregt: »Ja?«

Ich sagte lässig: »Sieht ganz gut aus, was steht denn an?«

Danach war ihre Stimme und der ganze Stress darin plötzlich in mir drin und ich sprang wie aufgezogen aus dem Sessel, raste in die Dusche, sprühte mich mit Parfüm voll, balancierte Kontaktlinsen auf meinen Fingerkuppen in die Augen; dann raus aus dem Bad, wühlte hektisch im Kleiderschrank, zog eine halbdurchsichtige Bluse raus, schwarze Strumpfhosen, ein enges schwarzes Kleid, das bis zu den Knien geht, zog die Strumpfhosen und das Kleid an, warf mir den Mantel über und steckte den Kopf in Maliks Zimmer, wo Habibi mit dem Jungen auf dem Boden saß und spielte.

»Jungs, ich muss los!«, sagte ich

Beide schauten mich entgeistert an.

»Wohin?« meinte Habibi, und ich leierte mein Programm runter: »Sandy hat angerufen, will, dass ich für eins von den Mädels einspringe... jetzt! Und deswegen hab ich's supereilig.«

Habibi verzog das Gesicht, zeigte wortlos auf den Jungen.

»Was denn?«, fragte ich, und er dann: »Ich hab heute Nachtdienst, soll ich Malik etwa mitnehmen?«

Ich kam ihm mit der Mädchentour. »Och nee, echt?« sagte ich und wippte einige Male in den Knien, so, als müsste ich mal dringend auf die Toilette.

»Ich kann mich auf gar keinen Fall krankmelden.«

»Nich? Geht das nich' ein einziges Mal wenigstens?« Malik verfolgte unsere Unterhaltung die ganze Zeit über wie ein Tennisspiel. Sein Kopf ging hin und her.

»Habib, echt jetz', ich muss los!«

Er seufzte.

Da war ich schon mit dem Kopf aus der Zimmertür raus, rief vom Flur aus noch: »Du lässt dir was einfallen, Habibi, nicht wahr?!«, stieg in meine Plateauschuhe, nahm meine Handtasche und war aus der Tür ...

Ich will mich in Form bringen. Es geht zum nächstbesten Kiosk. Ich knalle zwei kleine Flachmänner auf die Theke, bezahle und suche mir dann ein verstecktes Eckchen am U-Bahnhof, kippe mir das Zeug rein. Es brennt mir fast die Speiseröhre weg und ich besprüh den Brand mit Atemspray, bis mir der Schaum aus dem Mund läuft, rotze alles in irgendeine vollgepisste Ecke neben dem Aufgang, renn die Treppen hoch, klemm mich zwischen die Türen einer abfahrbereiten U-Bahn. Über mir blinkt die Signalleuchte, jault der Alarm, neben mir mault jemand was von »nächste Bahn nehmen« und ich denke: ›Halt doch die Fresse, du Spießer!‹, sage aber nichts.

Zwischen Senefelder Platz und Alexanderplatz checke ich mein Äußeres in der dunklen Scheibe durch: mein Afro ist rebellisches Gestrüpp über meinem Hirn, meine Augenringe prophezeien eine dunkle Zukunft und mein Körper kämpft gegen den Wodka an; Schweiß perlt von den Achseln und fließt über die Innenseite meiner Arme.

Ich verlasse die U-Bahn, stakse über marode Gehwege, leicht besorgt um meine Knöchel, meine Finger verirren sich in meiner Mähne. Als ich über den Parkplatz des alten Fabrikgeländes eile, sind links die alten Fenster schon hell erleuchtet und das gesamte Adrenalin von Designern, Event-Managern, Mode-Journalisten, Fotografen und Models spritzt mir mit dem Licht und dem Raunen einer Menschenmenge entgegen.

Erika steht am Hinterausgang. Zigarette in der Hand und über ihren streng zurückgekämmten Haaren und dem kleinen Zopf am Hinterkopf weht die Flagge irgendeines afrikanischen Staats, die ich nicht zuordnen kann, und die deutsche, gleich daneben, läppert leicht zerzaust im Wind. Als sie mich heranfliegen sieht, kommt sie auf mich zugelaufen. Ich les ihren Begrüßungstext schon aus fünf, sechs Metern von ihren Augen ab: Hey, ich kann diese Debatten um Zuwanderungsgesetze, Leitkultur, doppelte Staatsbürgerschaft und wasnichalles nicht mehr ertragen, weißte!? Und dass dabei dieser ganze alte Mist wieder hochsuppt, und wie ich mich dabei fühle! Wir sind die Neuen hier, ja, aber die reden wie Neandertaler, die uns für Buschvolk halten und dann auch noch sagen: »Hey, wir waren aber zuerst da!«

Ich heb beide Hände bis zum Gesicht hoch, bleib im Vollgalopp und sage: »Herzchen, ich hab's total eilig, später, ja?«, wische meine Wange im Vorbeigehen über ihre, rieche den Duft vom Rauch, der an ihr hängt und denke, als ich die Tür zum Hintereingang aufreiße, an meine nächste Zigarette.

Dann renne ich den langen Flur entlang und seh die Hand von dem Typen im Lederanzug in der Luft scharf nach links abbiegen, werd zu seiner Hand, biege scharf nach links ab und seh schon Sandra an der weit geöffneten Tür, vor einem hell erleuchteten Raum stehen, aus dem das aufgeregte Geplapper der Models kommt.

»Oh, Gott, Baby!«, ruft Sandra, »dich schickt der Himmel!«

Mich überkommt der leichte Anflug eines biblischen Gefühls. Ich, die Erscheinung, und sie, die Prophetin. Ich möchte mit Gott reden und ihm zuflüstern, dass sie kein Wort von seiner Vision kapiert hat und ich da leider auch nichts machen kann; drossele mein Tempo direkt neben ihrer Wange, Bussi links, Bussi rechts, dann geht's weiter und ich betrete die Garderobe im nur leicht gezügelten Galopp, röhre ein: »Allet chic, Mädels?!« in den Raum, das von ungläubigem Schweigen und nervösem Gekicher beantwortet wird.

Dann lass ich mich vor dem Schminktisch auf den freien Stuhl neben Selda fallen, die gerade mit halbgeöffnetem Mund dasitzt und ihre Lippen mit dunkelrotem Lippenstift nachzeichnet. Ich lehne mich zu ihr rüber und grunze mit dem Tiefsten, was meine Stimme hergibt, ein herzhaftes und langgezogenes: »Fıstık« in ihr Ohr. Dann warte ich, bis ihr das Lachen ins Gesicht schießt, sehe, wie der Lippenstift in ihrer Hand zu zittern anfängt und ihre Lippen an den Zähnen Halt suchen. Sie gackert los und ich grunze, genauso herzhaft, dunkel und langgezogen wie vorher: »Hayatım!« Sie biegt sich. Ich spule meine ganze Palette türkischer Kosewörter runter und sie krümmt sich neben mir, erstickt fast am eigenen Lachen. Tränen schießen ihr in die Augen, perlen übers frisch gepuderte Gesicht.

»Hör auf, ey! Ich sterbe!«, jault sie nach einer Weile, hält sich den Bauch mit der einen Hand und wedelt sich mit der anderen Luft zu. Ich drücke ihr einen fetten Schmatzer auf die Wange, fummel dann meine Schminksachen auf dem Tisch zurecht, während sie sich mit einem Papiertaschentuch die Tränen aus den Augen tupft, sehe nach oben, seh im Spiegel vor mir diesen Blick eines elfenhaften Models, das sich direkt hinter mir aufgestellt hat, schau mitten rein in die Missbilligung un-

serer afro-asiatisch-kurdisch-türkisch-deutsch-ghanaisch-nord-
amerikanischen Verbindung; bin die Spinne, die ihren Blick
auffängt, kurz bevor sie zu kreischen beginnt, schicke ihr über
den Spiegel die stille Post meiner eigenen Mimik, genauso an-
gewidert von ihr wie sie von mir, und denke: ›Prinzessin, wenn
du jetzt das Maul aufmachst und genauso redest, wie du guckst,
dann raste ich aus!‹

3 Die Station ist wie eine Schneekugel, die von der Hand eines Kindes einige Male hin und her gedreht wird. Schneeflocken tanzen im Nachtlicht. Ich bin im Stationszimmer und stelle die Medikamente für den Tagdienst bereit. Rosa, die Stationsärztin, sitzt neben mir auf einem Bürostuhl, hat die Füße auf einem Aktenwagen abgestellt, hält eine Tasse Kaffee in den Händen.

»Eine ruhige Nacht, nicht wahr, Habibi?«, sagt sie und blickt durch die halbgeöffnete Flügeltür des Stationszimmers hinaus auf den Schnee, der inzwischen eine zarte, weiße Schicht auf dem Linoleumboden bildet.

»Ja, könnte meinetwegen immer so sein«, antworte ich und wende mich wieder den Medikamenten zu, sortiere Antibiotika, Schmerzmittel, Blutdruckmittel, Magentabletten, Antidepressiva, Schlaftabletten, Beruhigungsmittel in Medikamentenschachteln und schiebe durchsichtige Deckel darüber zu.

Malik schläft im Arztzimmer auf der Behandlungsliege. Rosa hat ihm eine seiner Lieblingsgeschichten vorgelesen und er lag da, konnte den Blick nicht von dem großen, dunklen Muttermal wenden, das sich auf Rosas Wange von der Haut abhebt, starrte darauf, bis sie zu lesen aufhörte und ihm ihr Gesicht hinhielt. Sie las dann weiter, er mit dem Zeigefinger auf Rosas Haut. Sein Finger verlor nach einer Weile an Spannung, bog sich ein wenig in der Luft und einen Augenblick später war er eingeschlafen, der Arm sanft auf seine Brust gesunken.

Doktor Karles' raue Stimme dringt wieder durch die geöffnete Tür eines nahegelegenen Zimmers auf den Stationsflur hinaus: »Ach, mein Mütterchen, ich kann mein Brot nicht mit dir teilen...«, ruft er und ich höre, wie er leise die Bettgitter bewegt, »...ich hab doch selbst nur noch das eine Stück!«

Das Klappern der Bettgitter wird lauter. »Bitte! Hilfe!«, ruft Doktor Karle und Rosa seufzt, sagt: »Der arme Mann. Wenn er doch nur vergessen könnte.«

Es ist zwei Uhr am Morgen und Doktor Karles Rufe begleiten uns schon seit Stunden. Russische Mütterchen betteln um Brot, in Decken gehüllte Kinder kauern vor zerschossenen Häusern, tote Soldaten liegen zusammengekrümmt am Weg und über allem ist der Schnee, der mit seiner morphium-getriebenen Erinnerung auf die Station niedergeht.

»Ich denke, mehr Beruhigungsmittel können wir ihm jetzt nicht mehr geben«, sagt Rosa.

Ihr Pieper gibt Alarm. Sie schaut zu ihrer Kitteltasche hinab auf das Display, steht auf, geht zum Telefon, tippt die Nummer in die Tastatur, wartet, dann: »Hey, hier ist Rosa, was gibt's denn?«

Ich sehe, wie sie auf die Stimme am anderen Ende der Leitung mit leichtem Kopfnicken reagiert. Dann sagt sie kurz: »Okay, ich komme sofort!«, legt den Hörer zur Seite, verabschiedet sich mit einem etwas genervten: »Muss los!« und verlässt die Station dann im Joggingtempo, die Hände auf die breiten Taschen ihres Kittels gepresst.

Ich schaue ihr nach, sehe, wie sie sich zur Seite beugt, den Schalter an der Wand berührt. Die Stationstür öffnet sich, sie biegt nach links ab. Ich höre, wie draußen die Fahrstuhltür aufgeht und dann wieder schließt.

»Hilfe! Bitte! So helfe mir doch jemand!«, wimmert Doktor Karle.

Ich stehe auf, gehe zu ihm. Die Stationstür schließt leise, als ich vom Flur in sein Zimmer abbiege.

Er liegt gefesselt da. Seine Hände und Füße sind mit Riemen an die Bettgitter gebunden. Ein breiter Gurt spannt über seinem Bauch. Er starrt mich mit irren Augen an, hat den Oberkörper aufgerichtet, soweit es die Fesseln zulassen.

»Freund oder Feind?«, ruft er ängstlich und ich antworte:
»Freund.«
Er lässt seinen Kopf mit einem erleichterten Seufzer in das
Kissen sinken.

★ ★ ★

Tausend Bilder wabern um den Körper. Das zarte Papier von
Frauenmagazinen liegt glattgestrichen auf der Haut und irgendeine greisenhafte sexuelle Energie kreist zwischen uns, die
irgendwann vielleicht nichts anderes war als eine unverdor-
bene Leidenschaft. Von Druckmaschinen gepresst, digitalisiert,
durch Millionen Hirne gejagt; schließlich hier in diesem Augenblick zersetzt, geschreddert, zwischengespeichert, schwingt
diese Leidenschaft in unserem Äther. Und unsere naiven Hirne
bekommen vom Körper die Nachricht, dagegen zu rebellieren,
und die rebellierenden Hirne senden Kälteschauer durch die
Adern zurück in den Körper. Ich spür, wie es mich schüttelt,
spür wie mein System auf diese Unterkühlung reagiert.
   »Na, hast du'n Problem, oder was?«, sage ich, und die
Spiegelwand wird zum Horizont, an dem sich unsere Welten
treffen. Sie, der weiße Vollmond, oben; ich die Sonne, sitzend,
unter ihr, erwarte den neuen Tag. Selda klopft beschwichtigend
auf meinem Unterarm herum.
   Die Tür auf der anderen Seite des Raums geht auf. Die El-
fenhafte schaut hinüber. Unsere Blicke driften auseinander,
treffen sich dann wieder in zu unsichtbaren Strahlen gebündel-
ten Wortgefechten, die den Körper der Assistentin lasern. Sandra steht an der Tür, die Unterseite des schmalen Holzbretts,
auf dem sie den Ablaufplan festgeklemmt hat, in den Bauch
gerammt wie ein Samurai-Schwert. Ihr Daumen spielt im Stak-

kato auf dem oberen Ende eines Kugelschreibers. Es macht: klack-klack-klack-klack-klack.

»Mädels!«, ruft sie, »Anprobe!«

Alle hopsen los. Ich schlendere als Letzte aus dem Raum. An der Tür legt Sandra ihre Hand auf meinen Arm, schaut mich an, als hätte ich irgendeinen Riesenausschlag im Gesicht. »Du bist noch nicht geschminkt!«

Ich sage: »Ja, sorry, dafür war keine Zeit.«

Ihr Daumen wird am Kugelschreiber epileptisch. Sie macht einen Schritt raus auf den Gang, wo die anderen Mädels gerade in den Ankleideraum trippeln, legt das Brettchen mit dem Ablaufplan seitlich an den Mund, ruft: »Maurice!«

Ein blondierter Kopf erscheint im Türrahmen. »Was gibt's denn, Darling?«, ruft der Blondierte herüber und Sandra macht eine hektische Bewegung vor meinem Gesicht und sagt dazu: »Mach doch nochmal schnell so tütütü bei ihr, bevor sie sich die Klamotten überzieht, ja?!«

Der Blondierte verschwindet mit einem kurzen: »Mach ich!«, und ich treffe ihn ein paar Sekunden später im Ankleideraum, wo er mir seine Hand entgegenstreckt. Ich fasse zu. Er zieht mich an fahrbaren Kleiderständern vorbei zur nächsten Spiegelwand und ich gaffe auf ein Wattepad in seiner Hand, dessen Färbung ungefähr der meiner Haut entspricht, schließe vertrauensvoll die Augen. Es macht tütütü auf meiner Stirn, meinen Wangen, meinem Kinn.

Ein paar Minuten später schlüpfe ich in einen schwarzen Rock, der sofort passt. »Na, hoppla«, sage ich und schaue zu Selda rüber. Sie trägt so ein Edelkleid: ein bisschen 20er, dünner Stoff, geht unten auseinander wie ein Lampenschirm, aber lässig. Maurice schwirrt um sie herum. Ich denke: ›Heute wird's wohl eher klassisch!‹, und schiebe meine Hand durch den Ärmel einer weißen Bluse mit Rüschen.

Sandra lässt ein Paar schwarze Pumps neben mir auf den Boden knallen. Ich fahre in die Schuhe rein, leichter Schmerz, weil daran alles noch hart ist und neu. Dann bin ich wieder einsneunzig und sie hält ihren Ablaufplan in die Höhe, ruft: »Okay, Ruth geht vorne, dann du, dann du, du, du und du.« Und jedes ›Du‹ ist die Ecke des Ablaufplans, die auf ein Püppchengesicht mit einem Streichholzkörper zeigt.

★ ★ ★

Ich hab mir alles erlaubt, musste mir alles erlauben, weil diese Anfälle mich zermürben, weil die Welt, in die sie mich treiben, zermürbend ist, morbide, krank und demütigend.

Ich hab mein Innerstes auf den Tisch gespien in einem der eher ruhigeren Momente dieses Abends. Toni und ihre Schwestern hatten ihre Instrumente eingepackt. Ich glaubte, von Onkel Hans, drüben am Tisch, eine Schwingung zu empfangen, die sich in meinen Geist als der Wille, in der Diskussion mit Tante Bertha das letzte Wort haben zu wollen, einschrieb – und mein Magen rebellierte, krampfte, ging zur falschen Seite auf.

Ich konnte nicht mehr an mich halten, wollte nicht; unverdaute Spargelstücke schossen durch die Speiseröhre, alles landete in einer Lache aus Brei, etwas heller als die Sauce Hollandaise, die wir vorher in uns reingeschoben hatten.

Ein kurzer, verstörter Blick auf das übelriechende Universum meines Innern vor mir, dann spring ich auf, bin mit einigen Schritten halb um den Tisch und bei Onkel Hans, wische mir mit einem Ärmel beiläufig die Spucke vom Mund, bemerke an den Rändern meiner Wahrnehmung, dass meine Mutter schon ein Handtuch über meine Exkremente wirft, packe Hans' Kopf, ziehe ihn an den Haaren zurück. Er gibt mit schmerzverzerrtem Gesicht ein überraschtes »Ahtsch« von sich.

Jahrelang hat mich das gequält! Diese ewig nagende Frage: Ist die Welt, in die ich stürze, wenn ich in Ohnmacht falle, irgendwie verbunden mit der Welt, in der ich hier mit meiner Mutter bin, mit Tante Bertha, Onkel Hans und all den anderen, oder ist das nur mein ganz privater Kosmos, durch den ich dann ängstlich jage, wenn ich aus dieser Welt herausfall; eine andere Galaxie, deren Tür sich ganz allein in meinem Hirn auftut?

Ich fahre mit den Fingerspitzen unter die Ränder des Pflasters, während Hans sich kraftlos wehrt, löse den Kleber leicht, der sich in einer porösen, weißen Masse an seiner Haut festklammert, und ziehe das Pflaster unerbittlich Millimeter um Millimeter zurück, reiße es dann schließlich mit einer flüssigen und brutalen Bewegung von der Haut und sage dann so laut, dass es alle im Raum hören können: »Da haben wir's!«

Ich dreh Onkel Hans' Kopf so zur Seite, dass sie alle, Onkel Simi, Irmgard, meine Mutter, Toni und schließlich auch die Großmutter es sehen können, das Zeichen dieser anderen Welt, den untrüglichen Beweis dafür, dass es sie gibt.

Und erst da bemerke ich, dass ihre Blicke nicht auf Hans gerichtet sind, nicht auf die kreisrunde Verbrennung in seinem Gesicht, nicht darauf, dass dieses Gesicht langsam rot anläuft und die Hände, die verzweifelt an meinem Arm zerren, sondern nur auf mich, nur auf mich allein. Und ihre Fassungslosigkeit, ihr Schweigen, ihr stilles Unverständnis sickert langsam in mich ein. Ich schau hinüber zu meiner Mutter und ihr Blick trifft mich mit der ganzen Wucht seiner Mischung aus Vorwurf, Mitleid und versiegelter Wut.

Und während ich noch einmal hilfesuchend in die Runde blicke, verschwimmen ihre eingefrorenen Gesten, ihre regungslosen Gesichter vor meinen Augen. Ich lasse von Hans ab, höre, wie er lautstark Luft einzieht, sich die Kehle reibt, bahne mir den Weg, vorbei an Stuhllehnen, meiner Mutter, deren kühler

Blick mich still begleitet, vorbei an der Kommode aus Mahagoniholz und Onkel Simi, der auf seinem Stuhl zu einer Wachsfigur geworden ist; renne zur Verandatür, reiße die Tür auf, renne in den Garten raus, durch die kahlen Büsche, in die dunkle Nacht, in deren kalter Luft der Winter schon zu lange einsitzt.

★ ★ ★

Wir stapfen durch eine unendlich weite, weiße Landschaft. Felder unter Schnee. Zwischen dem Weiß ragen Reihen von schmalen Bäumen mit kahlen Ästen empor. Doktor Karle, neben mir, noch ein Junge fast, eingewickelt in löchrige schwarze Decken, die um seinen Kopf, seine Hüften gewickelt sind. In seinem blassen, kindlichen Gesicht steht noch der Flaum, Eis hat sich in den Härchen auf seiner Oberlippe, unter seinem Kinn eingenistet, gefrorener Rotz, der aus der Nase rinnt.

Und die Landschaft liegt um uns wie die Ausgeburt eines Gefühls, das aus uns herausgetreten ist, sich aus unserem Geist vor uns hingelegt hat: ein schmächtiger, nackter, weißer Junge, dessen leises Wimmern bei jedem unserer Schritte hörbar wird. Auf seiner Haut sind unsere Spuren weithin sichtbar. Flache Hügel, seichte Täler, in denen der Weg die Gegenwart mit der Vergangenheit verbindet. Und doch scheint mit mir alles abgebrochen: Kind ohne Eltern, in etlichen Heimen unterwegs, keine Wurzeln, keine Geschichte außer der Geschichte aller Menschen, überall, zu jeder Zeit. Vor mir lag nur immer diese Landschaft, schneebedeckt, unendlich weit, gottverlassen und beängstigend; bis die Menschen kamen, die mich aus dieser Landschaft holten: Rutha-Pong und Malik.

Doktor Karle ist ruhig geworden. Er hat seine Augen geschlossen. Ich wende mich zum Fenster und schaue hinaus auf die Dächer der umliegenden Häuser. Schneeflocken treiben durch die Luft, getragen von einem leichten Wind.

Die Stationstür geht auf. Ich denke, dass es Rosa ist, die von der Notaufnahme zurückkehrt, aber die Füße, die langsam ein paar Schritte über den Linoleumboden in die Station hinein machen, tragen Schuhe mit Absätzen und bleiben dicht an der Tür stehen.

Ich wende mich vom Fenster ab, warte noch einen kleinen Augenblick, lausche in den Flur hinein. Dann gehe ich zur Tür, auf den Flur hinaus, schaue hinüber zur Stationstür und sehe Rutha; ihr weißes Kleid, blutverschmiert, Erde klebt an ihren Schuhen und der Geruch von Schnee, der auf den Haaren, auf der Kleidung taut, hängt an allem, was da mit ihr eingetreten ist:

★ ★ ★

Ich bin an der Spitze einer Frauenarmee, die mit ihren Körpern und kühlen Blicken für das Klingeln in Europas Kassen kämpft, stolziere ins grelle Licht des Laufstegs, Hip-Hop-Beats und ein wummernder Bass im Rücken, schwinge meine Hüften auf eine schwarze Wand zu, aus der mich tausend Augen anschauen.

Ich seh nur die Menschen in der ersten Reihe vor dieser Wand aus nächtlichem Nebel, aus der mir ein verächtliches Verlangen nach Selbstwert entgegenflimmert.

Ich hab mich lang an dieser Welt berauscht. Edelsoldatin, die allein durch ihre Uniform beweist, dass sie das Zeug zur Generalin hat. Schönheit, gottgegeben – oder von irgendwem, der da über Schönheit wacht; dann festgestellt, dass die Götter, die sie meinen, nichts gemeinsam haben mit dem anderen Gott, der vielleicht Licht ist, das alle bescheint; dass die Götter, die sie meinen, ihre Göttlichkeit allein daraus beziehen, dass sie entscheiden, wer im Licht und wer im Schatten ist. Skepsis ist zurück in meinem Hirn und ich fang wieder an zu grübeln. Der Stolz darüber, Teil dieser Verirrung zu sein, verfliegt, dann macht sich Zynismus breit und ich gewöhn mich dran, mich gerade in den Augenblicken von größtem Glanz von außen zu betrachten, in die dunkle Wand aus nächtlichem Nebel reinzusteigen und von dort zu schauen; mich zu verlachen, wenn ich diese Schritte mache, diese Bewegungen, diese coolen Blicke gegen die dunkle Wand werfe, von der dann nichts mehr reflektiert als das eigene krisenhafte Misstrauen gegen eben diese Welt, in der ich mich bewege.

Ich dreh den Kopf nach rechts; einige Gesichter da in der ersten Reihe: Gutachter-Blick, dann Hände über Broschüren aus dünner, weißer Pappe auf Oberschenkeln, Champagnergläser zwischen rot lackierten Fingernägeln, dann die abgeriebene Sohle eines Lederschuhs, die einmal kurz auf und nieder wippt. Ich schau nach vorne. Erste Reihe dort am Ende des Laufstegs: fachmännisch beäugt, der Sitz des Rockbunds auf der Taille, die Rüschen vor der Brust, wie die nackten Füße im neuen Leder der Pumps stehen und ich folge innerlich dem Blick über all das, taste meine Position im Schuh ab, meine Position im Raum, meine Position in dieser Welt, bis es im Hirn wieder klick macht und der Schalter runtergeht; ich mich im Innern des dunklen Nebels sehe, die Hand auf den Mund gepresst, um mein Gekicher über sie da, mich, im grellen Licht, vorwärtsgetrieben von einem schwergewichtigen Beat, der durch die Halle wummert, abzuwürgen.

Ich schaue nach links rüber, erste Reihe; sehe einen Typen, bei dem mein Blick zu lange hängen bleibt, zu sehr auf Erkennen aus ist, nicht mehr nur ein Blick für alle ist, genauso unpersönlich wie der Blick, der aus dem dunklen Schlund auf mich gerichtet wird. Beethoven-Frisur, blasser Teint, schwarzer

Anzug, schwarzes Hemd; sitzt da, die Arme vor der Brust verschränkt, Beine übereinandergeschlagen. Unsere Blicke treffen sich in einem Korridor aus Unabhängigkeit und ich bin halb die, die im Dunkel sitzt und ihr Gekicher würgt, und halb die, die im grellen Licht um ihre Fassung ringt; zwinkere ihm zu; Flügelschlag des Schmetterlings; sanfte Welle, deren Ausläufer mit dem überspannten Lachen einer Frau gegen meine aufgebockten Fersen spülen. Ich steh am vorderen Rand des Laufstegs. Dieser kurze Moment der Pose, bevor es dann den ganzen kargen Weg zurückgeht. Betrachte das Dunkel vor mir, während alle meine restlichen Sinne auf ihn, links hinter mir, gerichtet sind und das gurgelnde Rauschen des Ausläufers einer weiteren Welle empfangen.

Als ich zurückgeh, ist die sanfte Welle, die von meinem rechten Augenlid ausging, schon zu einer leichten Brandung geworden und ich sehe, wie der Typ im schwarzen Anzug sich zu seinem Nachbarn rüberlehnt, beide Hände um das Ohr gelegt, und wie die Worte die Blicke des Mannes steuern, von der Mähne oben bis runter zu den Füßen und dann wieder hoch zum Gesicht, wo sich die Augenpaare treffen; er, der Gast am Schlüsselloch der Tür, die in unseren Korridor hineinführt.

Und mit jedem neuen Rock, mit jeder neuen Bluse, jedem neuen Kleid, das ich über den Laufsteg trage, wird dieser Korridor ein Stückchen größer, muss größer werden, weil die Vertraulichkeit, die darin ist, mit jedem meiner Schritte wächst.

Dann sind wir wieder im Ankleideraum. Alle völlig gaga vom Adrenalin und Licht und randvoll gefüllt mit dem kurzlebigen Kompliment der auf uns gerichteten Aufmerksamkeit.

»Bravo, Mädels, bravo!«, ruft Sandra und klatscht einige Male in die Hände.

Die Elfe balanciert auf einem Bein, zieht sich einen ihrer Pumps vom Fuß.

»Ich versteh nich', warum die immer vorne geht«, sagt sie und schafft es sogar noch auf einem Bein stehend, den Schuh in der Hand, ihren Kopf angemessen theatralisch in meine Richtung zu bewegen.

»Was soll das denn jetz'?«, meint Sandra und die Elfe zickt nochmal etwas lauter hinterher: »Ich versteh nich, warum ein Model, das nach Wodka stinkt und sich um nix schert, trotzdem vorne läuft!«

Mir schießt die Galle ins Hirn: »Halt jetz' lieber mal die Luft an, Mädel!«, sage ich laut und baue mich vor ihr auf. Sie, inzwischen barfuß, ich, mit Pumps, stehe etwa zwanzig Zentimeter über ihr. Sie druckst rum. Sandra bringt ein zittriges: »Kommt schon, ihr beiden!« raus. Ich höre es kaum, bin schon dabei, darüber nachzudenken, was ich mache, wenn ich mit ihr fertig bin, welchen anderen Job ich machen könnte oder wie ich an die Kohle für Tickets nach Kanada rankomm.

Jemand reißt die Tür auf. Ich schaue rüber, da klebt Sandra schon mit der Wange an der Backe eines Typen. Es ist der mit der Beethoven-Frisur aus der ersten Reihe und Sandras Mimik geht an seiner Wange auf wie ein Expander, zeigt ihr breitestes Strahlen. »Pete!!«, ruft sie und hakt sich auch noch bei ihm unter. »Hee, Pete, wie haben dir deine Sachen an diesen ganzen Schönheiten gefallen, hm?!«

Und Pete macht sich von ihr los, meint: »Sehr gut! Gefällt mir sehr!«, schaut mich an, kommt auf mich zu gelaufen, ebenso strahlend wie Sandra zuvor, in deren Gesichtsausdruck jetzt etwas wohlwollend-verschwörerisches mitschwingt, und umarmt mich als sei ich eine Puppe, flüstert mir ins Ohr: »Komm, lass uns abhauen. Ich halt's hier keine Sekunde länger aus!«

Ich bin mit dem Kopf noch halb bei der Elfe. Alle restlichen Kapazitäten sind im Automodus. Ich seh den Korridor, auf dem er und ich uns drüben in der Halle begegnet sind, ein langer Flur, schablonenhafte Architektur von Hotels und künstliche Grünpflanzen, die in ›auf römisch gemachten‹ Vasen stehen, und seh darin die Elfe in einem Morgenmantel aus Satin herumtanzen.

Ich raffe meine Klamotten zusammen, stopfe alles in die Handtasche, werfe meinen Mantel über, winke Selda noch einmal zum Abschied zu, als ich an Petes Hand auf den Flur hinausfliege, greife mir eine von den Champagnerflaschen, die in silbernen Kübeln mit Eis da herumstehen.

Dann sind wir draußen auf dem Parkplatz. Er reißt die Tür eines Taxis auf. Ich steige ein, er schließt die Tür von außen, ich beobachte meine Sinne dabei, wie sie seinen Weg um das Heck zur Tür auf der anderen Seite begleiten. Er lässt sich mit einem ansteckenden »Uff« auf den Rücksitz fallen, streicht sich die Haare mit einer unendlich eitlen Geste zurück und sagt dann zum Fahrer, der sich schon erwartungsvoll zu mir nach hinten gewendet hat: »Pariser Platz, bitte!« und wir fahren los.

Ich hänge auf dem Rücksitz, die Knie gegen den Vordersitz, das Gesicht seitlich auf der Lehne, schaue aus dem Fenster, die Champagnerflasche in der einen Hand, seine Finger zwischen den Fingern der anderen, setze von Zeit zu Zeit die Flasche an die Lippen und lasse Champagner in mich reinlaufen. Er knabbert an meinem Hals rum. Ich hab immer noch sein Kleid an: weiße Blüten aus Spitze, figurbetont, hochgeschlossen, bedeckt halb meine Oberschenkel.

Draußen zieht die Stadt vorbei, dunkel und ein wenig geheimnisvoll. Die Ruine des Anhalter Bahnhofs ragt in den Nachthimmel wie ein Saurier. Dann, rechts von uns, einige Meter löchriger Mauerreste, Checkpoint Charlie, die Häuser der Friedrichstraße schlucken den Himmel, graue Gestalten auf den Gehwegen, matt schimmerndes Laternenlicht, das gegen die Nacht ankämpft.

★ ★ ★

Unter mir wimmeln die Menschen über den Ku'damm, vorbei an Schaufensterpuppen mit harten Körpern und kalten Blicken, die in die Leere starren. Der Anblick der Gedächtniskirche drückt sich in mich rein. Dunkle Äste schlagen hart gegen die Scheiben des Doppeldeckerbusses. Ich sitze oben, in der ersten Sitzreihe, fühle mich unendlich einsam, fange Wortfetzen der anderen Fahrgäste auf, die sich in meinem Innern mit den Werbesprüchen, Texten von Plakatwänden, Schriftzügen über breiten Ladenfenstern und den genuschelten Ansagen des Busfahrers zu einem wirren Kauderwelsch vermischen. Wittenbergplatz, Lützowplatz, dann weiter am Spreekanal entlang.

Ich will alleine sein, will dieser Stadt entkommen; ihrer Kulisse, in der die Geschichte wie ein Affe, der sich an Seilen durch sein Gehege schwingt, um die Fassaden spielt.

An der Potsdamer Straße steige ich aus, renne über die breite Fahrbahn, über den Kanal zur anderen Seite, vorbei an der Neuen Nationalgalerie, der Gemäldegalerie, der Philharmonie, überquere wieder eine Straße und komme in den Tiergarten, renne weiter über den körnigen Untergrund, tiefer in den Park hinein. Die Wipfel der Bäume über mir, vor dem dunklen Himmel. Klare Luft zieht durch meine Lungen. Ich bin endlich allein, sonderbar geborgen in dieser Illusion von Natur, in der das stetige, leise Rauschen des Verkehrs die Erinnerung an die brodelnde Stadt wach hält.

Ich wollte ihnen zeigen, dass es eine Welt gibt, die mit mir Teil ihrer Welt geworden ist, wollte ihnen zumuten, dass sie darum wissen, wollte sie einweihen in die Angst, den Terror und den Schmerz, der in dieser Welt ist; und ich bin an ihrem Schweigen abgeprallt; hätte sie nicht damit behelligen dürfen, hätte es alleine schaffen müssen, diese Welt in mir zu bekämpfen. Oder hätte heilbar sein müssen für ihre Psychologen, Ärzte, zugänglicher für ihren Rat, hätte einfach alles weiter still ertragen sollen, hätte nicht wissen dürfen, was ich ständig sehe, nicht sagen, was ich weiß, und über diese Welt, in die ich komme, wenn ich aus der anderen falle, genauso schweigen, wie sie darüber schweigen!

Ich komm auf eine Lichtung. Rings um mich die dicht stehenden Bäume, wie eine dunkle Mauer, die der Park um mich gezogen hat. Mir ist kalt. Dort war keine Zeit mehr, meine Jacke zu nehmen, kein Gedanke daran, und ich weiß: wo ich hingeh, ist keine Jacke, keine Mütze, keine Kleidung nötig. Ich bin müde, bin es leid, jeden Tag nur darum zu kämpfen, in dieser Welt zu bleiben, meinen Sinnen zu befehlen, sich an etwas festzuhalten, woran mir nichts mehr liegt. Ich weiß nicht, wie ich's machen soll; einfach warten auf dem kühlen Gras, mich hinlegen, einschlafen, hoffen, nicht mehr aufzuwachen.

Ich lege mich auf den Rasen, schließe die Augen. Der leichte Kuss zarter Lippen zergeht kühl auf meiner Stirn, dann noch einer auf der Wange, auf den Händen. Ich möchte denken, dass da jemand ist, möchte hoffen. Ich öffne die Augen, schaue in den Himmel. Schneeflocken segeln über mir heran, legen sich auf meine Haut, schmelzen; und der Schnee wird dichter, ein Himmel aus weißen Miniaturfallschirmen, die zu Boden segeln, den Untergrund langsam weiß färben.

Ich drehe mich zur Seite. Durch den weißen Vorhang aus Schnee nähert sich eine dunkle Gestalt. Es ist Olaudah. Ich erkenne ihn, als er sich neben mir niederkniet. Er streicht mir mit der flachen Hand den Schnee aus dem Gesicht, streicht über meine Stirn, über meine Wangen. Dann sagt er: »Siehst du, ich bin da.«

»Ja«, sage ich und schaue an seinen Knien vorbei zum Wald hinüber.

Er dreht mich auf den Rücken. Ich fühl mich schwach, willenlos wie eine Puppe, alles ist jetzt egal. Ich sehe einen silbernen Gegenstand in seiner Hand aufglänzen; dann seine andere Hand, die meine am Handgelenk tief in das kalte Gras drückt, und ein gigantischer Schmerz fährt durch meinen Arm. Ich schreie laut auf, will den Schmerz mit der anderen Hand niederdrücken, aber Olaudah zwingt mich auf den Rücken zurück. Ich blicke zu ihm auf. Er schaut hinauf zum Himmel. Ich meine, am leichten Zucken seines Oberkörpers und der Lippen zu erkennen, dass er weint. Dann fährt der Schmerz ein zweites Mal tief in das Gewebe über meinem Handgelenk und reißt hinunter zum Ellbogen, geht durch den Arm in meinen Körper und breitet sich im ganzen Körper aus. Ich schreie, dann beiße ich die Zähne zusammen, presse die Lippen aufeinander, heule leise im Innern.

Olaudah lässt meinen Arm los. Ich höre, wie die Klinge eines Taschenmessers in den Griff zurückklappt. Er dreht sich um und geht. Seine gedämpften Schritte entfernen sich schnell. Alles wird still. Ich drehe mich zur anderen Seite. Blut quillt aus meinen Adern, läuft warm über meinen Unterarm und färbt den weißen Untergrund. Eine Frau ruft in der Ferne Olaudahs Namen.

★ ★ ★

Ein Page öffnet mir die Wagentür. Ich verstaue die leere Champagnerflasche im Fußraum, steige aus dem Taxi und stehe ihm dann gegenüber; ein weißer Typ mit einem flachen, runden Hütchen auf dem Kopf. Die Uniform im selben Weinrot, drei Reihen goldener Knöpfe ziehen über die Jacke bis runter zu den Hüften, weiße Handschuh. Der ganze Glanz vergangener Jahrhunderte zieht wie ein kalter Schauer in mich hinein und in mir macht sich so ein fieser Ekel breit, der Wunsch, ihm diesen ganzen Ekel ins Gesicht zu speien; aber irgendwo in den Tiefen meines angerauschten Hirns meldet sich im letzten Augenblick diese aufgeklärt-humanistische, etwas kleinlaute, aber durchaus effektive Stimme, die mir sagt: Du triffst den Falschen, lass es bleiben!

Pete kommt um den Wagen rum. Ich trippele an seiner Hand durch eine automatische Schiebetür in die Eingangshalle. Weißer Marmor überall, breite Lampen, die wie gigantische Bullaugen an der Decke hängen, riesige Kronleuchter über geschwungenen Treppen mit goldenen Geländern, Pagen lungern neben griechischen Säulen herum; das Klingeln einer Fahrstuhltür, die aufgeht. Dann sind wir nach wenigen Schritten in einem Aufzug mit Spiegeln und warmem Licht. Die Tür schließt. Der Fahrstuhl fährt an. Leichtes Kribbeln in der Magengegend. Dann spür ich, wie Petes Lippen sanft auf meinen landen und saug mich richtig fest; seine Hände jagen über meinen Körper und ein wildes Spiel der Lust und Gier beginnt: Aus dem Fahrstuhl raus; ich an seiner Hand über einen Flur mit Teppichen, deren Muster im Hirn das Wort ORIENT aufleuchten lassen, künstliches Grün in stillosen Vasen. Mein Hintern, meine Schultern, werden gegen eine Standard-Hoteltür mit der Nummer 322 gedrückt. Sein Knie zwischen meinen, sein aufgegeilter Blick und dann sein Gesicht, das auf meins zufährt, die Lippen, die sich im Hormonrausch treffen. Er fummelt nebenbei die Tür auf.

Ich, von seinen Armen gehalten, mache Tangoschritte durchs Zimmer, taumele rückwärts, lande rücklings auf dem Bett, winde mich aus dem Lederriemen meiner Handtasche raus, aus meinem Mantel; während sein Gesicht einen aufgeheizten Kondensstreifen an allen Stellen meines Körpers hinterlässt, an denen es vorbeikommt.

Er schüttelt sich die Anzugjacke von den Schultern.

Ein paar Sekunden später ist das weiße Edelkleid zu einem schmalen Band über meinem Bauchnabel zusammengeschnurrt, mein Höschen segelt hinüber zur Schrankwand. Ich beobachte interessiert die Flugbahn, während er sich mit der Zunge auf meinen Kitzler stürzt.

Der Alkohol verdunstet in meinem Körper zu Morgentau über saftigem Grasland und steigt langsam auf, vom Bauchnabel, zur Lunge, zum Hals, zur Kehle. Er treibt meinen Kopf in die Kissen und mir entfährt ein leises, dunkles Stöhnen. Ich drehe mein Gesicht zur Seite, sehe durch die halbgeöffneten Augen Olaudah auf dem Sessel an einem Tisch vor dem Fenster sitzen – der Morgentau verzieht sich.

»Was machst du hier?«, rufe ich, merke, wie die Lutscherei zwischen meinen Beinen aussetzt, hebe das Kinn, sehe Petes Kopf über meinen Schamhaaren auftauchen: mein Glibber bringt seine Lippen zum Glänzen.

»Hast du was gesagt?«, fragt er und ich: »Nein, das ist bei mir immer so, wenn ich erregt bin.«

Ich schieb seinen Kopf sanft runter, wende mich zu Olaudah rüber.

»Was machst du hier?«, wiederhole ich tonlos und bewege die Lippen dabei so deutlich, dass er die Worte daran ablesen kann.

Er sitzt nur da, die Unterarme auf den Oberschenkeln abgestützt und pult mit der kurzen Klinge eines Taschenmessers

Dreck unter seinen Fingernägeln raus, schaut zwischendurch immer wieder zu mir rüber.

Ich will ihn mit der Hand wegwedeln, ihn ohne große Worte aus dem Raum verscheuchen, aber er geht nicht, schaut mich nur weiter an und bearbeitet mit der Klinge seine Fingernägel. Petes Zunge kramt in einem Flussbett, aus dem sich jeder Tropfen Flüssigkeit verzogen hat. Ich bin stocknüchtern. Wieder sehe ich sein Gesicht zwischen meinen Oberschenkeln aufsteigen.

»Was nicht in Ordnung?«

»Nee ... ich weiß nich'«, sage ich, und spüre beim Sprechen wie die Trockenzeit sich auch in meinem Mund ausbreitet.

»Wenn ich was falsch gemacht hab ... ich meine ... «

»Nee, nee, schon okay, hat nichts mit dir zu tun«, sage ich und greife in das Band über meinem Bauch, ziehe den Stoff über die Brüste hoch, schlüpfe in die Ärmel.

Pete wischt sich meinen Saft von den Lippen und geht ins Badezimmer. Ich höre, wie er den Wasserhahn aufdreht.

Olaudah erhebt sich. Er klappt die Klinge ein und steckt das kleine Messer in die Hosentasche. »Komm, lass uns gehen!«, sagt er. »Was meinst du? Wohin?«, frage ich leise und setze mich auf die Bettkante.

Er schaut mich an, geht zur Tür, öffnet die Tür, verschwindet aus dem Zimmer.

Ich sitze eine Weile da, schaue ihm nach, höre, wie Pete sich im Badezimmer die Zähne putzt. Dann stehe ich auf, ziehe den Slip an, schiebe das Kleid runter, werfe meinen Mantel über, nehme meine Handtasche, gehe aus dem Zimmer.

Auf dem Gang ist niemand. Einige Meter entfernt schließt eine der Aufzugtüren. Ich renne zum Treppenhaus, stelze die Stufen runter, so schnell ich kann, komme ins Foyer, fange das Dienstleister-Lächeln der Frau am Empfangstresen auf, das lüsterne Grinsen, das um die Lippen eines Pagen spielt. Dann bin ich aus der Glastür raus, komme auf die Straße. Es hat zu schneien begonnen. Ich sehe, wie Olaudah in dreißig, vierzig Meter Entfernung durch das Brandenburger Tor in Richtung Tiergarten geht, renne ihm hinterher.

★ ★ ★

Ich fahr in einem Aufzug aus der stillen Dunkelheit ins Licht zurück. Eine Hand aus Watte schlägt auf meine Wangen ein. Rutha-Pongs Gesicht ganz dicht über meinem. Ich seh das tonlose Schreien, die tonlosen Rufe, seh meinen Zustand sich in ihren Augen spiegeln, den aufgerissenen, matten Horror dieser Nacht. Mein Herz schlägt im Brustkorb wild um sich: ein aufgebrachter Zwerg in einer Gummizelle, der mit den Fäusten die Wände traktiert; dann höre ich es auch; dumpfer, schneller Trommelschlag, der mahnend über einen Dorfplatz schallt. Tagt das Gericht? Ruft man zum Krieg, zu einem Ritual, in dem ein Kind geopfert wird?

Ich spür das Kreischen in Ruthas Händen an meinem Körper, wie sie an meinen Armen sind, und dann ihre aufgeregte Rückkehr zu meinem Gesicht. Jetzt fühlen sich die Hände auch wie Hände an; spür ihre Finger sich wie eine Klammer um mein Kinn legen, mein Kopf wird hin- und hergeschüttelt, sie ruft meinen Namen, einmal, zweimal, dreimal: Tonfall des Propheten, der sich flehend an die Sünder wendet. Dann fallen mir die Augen zu. Die Stille kehrt zurück. Ich spüre, wie mein Körper vom Boden hochgerissen wird. Mein Gesicht an ihrer Schulter, dann klappt der Kopf kraftlos nach hinten, Schnee auf meinen Augenlidern, dann ihre Hand an meinem Hinterkopf, drückt mich an ihre Schulter; ich entgleite ihr und mein Gesicht rutscht über ihre Brust hinab. Mein Körper schlägt dumpf zu Boden, aufgefangen nur vom weichen Gras, kühlender Schnee an meiner Wange. Ich werde gezerrt, geschleift, dann halb getragen, ihre Arme unter meinen Achseln, vor meinem Oberkörper verschränkt, die Füße, schlaff am Boden, müssen wohl eine sich wellende doppelte EKG-Linie im Schnee hinterlassen.

Dann fehlt jedes Gefühl. Innen ist alles dunkel, außen ist alles still. Nur das Rumoren vom absinkenden Blut in den Adern, das aus den tiefsten Höhlen dieser Erde dringt, das Dröhnen von Planeten, die langsam im Universum kreisen, Gebetsgesang tibetanischer Mönche dringt vom Grund der Ozeane rauf und ich, nach einem langen Nichts, komme langsam ins Licht zurück.

Mein Blick hängt gleichgültig an einem Gegenstand über mir; eine Glasflasche, in der eine durchsichtige Flüssigkeit gemächlich schaukelt. Ein dünner Schlauch zieht glatt hinab aus meinem Blickfeld. Sirenengeheul. Ruthas Kopf erscheint vor einer glatten, weißen Fläche über mir. Ihr Körper schaukelt im gleichen Rhythmus wie meiner, wie die Flüssigkeit neben ihrem Gesicht.

»Indi?!«, ruft sie, und mein Blick streicht kraftlos über ihre Augen. »Ich bin bei dir, hörst du?! Ich bin bei dir!«

Ich versuche zu nicken, weiß nicht recht, ob es gelingt.

Eine breite Hand zieht Rutha an der Schulter zurück. Ein Mann mit einer orangeroten Jacke über einem weißen Hemd erscheint an ihrer Stelle. Ich spüre eine Hand an meinem Arm. Es muss seine sein, der leichte Druck passt zu der Hand, die ich an Ruthas Schulter gesehen hab.

Er sagt: »Wird alles gut, hören sie? Nur schön wach bleiben jetzt, ja?!«

Ich will etwas sagen, kann nicht sprechen. Das Schaukeln hört auf. Die Sirenen verstummen. Türen werden aufgerissen.

Ein kalter Luftzug schiebt sich über mich hinweg und ich rutsche unter der weißen Fläche aus dem Wagen raus, direkt unter einen dunklen Himmel ohne Sterne, von dem der Schnee sich körnig abhebt. Der Mann mit der orangeroten Jacke ist neben mir, seine Schulter, sein Profil, daneben die Infusionsflasche in seiner Hand, der dünne Schlauch, über den sie mit meinem Körper verbunden ist. Schneeflocken legen sich sanft über mein Gesicht, ohne zu kühlen, weil es an meinem Körper nichts zu kühlen gibt. Ein dumpfes Zittern hat sich darin breitgemacht. Ruthas Mähne schimmert von der Seite in mein Sichtfeld. Unsere Blicke treffen sich ein letztes Mal. Dann verschwindet sie hinter mir und hinterlässt in meinem Innern eine tiefe Leere, das Gefühl, dass meine einzige Verbindung zu dieser Welt der Schlauch ist, der von meinem Unterarm hinauf zum Glasbehälter führt. Ich höre das Klappern des Fahrgestells unter der Trage, auf der sie mich vorwärts schieben. Über mir eine Wand aus grauem Beton, dann das surrende Geräusch einer automatischen Tür, die aufgeht, und eine lange Strecke unter Neonleuchten in ruhiger Fahrt, bis über mir das Gesicht einer Frau in einem weißen Kittel erscheint. Auf ihrer Wange ist ein großes, dunkles Muttermal. Hinter ihrem Kopf zieht langsam die Wand vorbei, während sie neben der Trage läuft; silberne Bilderrahmen an dünnen Nylonfäden, und mein Hirn gibt reflexhaft den Namen wieder, den ich mit jedem Bild, das hinter ihr erscheint, gegen das Ohr der Ärztin lalle: »Gauguin, Gauguin, Gauguin, Gauguin.« Ihre Hand streicht zärtlich über meinen Kopf.

★ ★ ★

Ich komm durch karge Klinikflure; das matte Grau der Wände, Geruch von Desinfektionsmitteln, kein Mensch, ich bin allein, meine Schritte hallen durch die leeren Gänge.

Als ich den Fahrstuhl betrete, wage ich nicht, in den Spiegel zu schauen, hab den Verdacht, dass mich das nur weiter in die Hölle treibt, in der mein Kopf sich längst bewegt. Ich fahre nach oben. Der Aufzug stoppt mit einem leisen PLING. Die Fahrstuhltür öffnet sich. Ich trete hinaus, gehe vorbei an einer geschlossenen Stationstür, blicke durch das Glas: ein Schränkchen, auf dem sich Wäsche türmt, links an der Wand. Eine Schwester schiebt einen kleinen Rollwagen mit Infusionsflaschen vor sich her über den Stationsflur. Ich gehe weiter, lege meine Hand auf einen Schalter an der Wand. Eine Stationstür öffnet sich mit dem üblichen leisen Jaulen der Hydraulik. Ich komme in das sanfte Nachtlicht der Station. In mir rumort das ganze Grauen der vergangenen Stunde: Indigo in einer Lache aus Blut, die den Schnee unter ihrem Arm wegschmolz. Mein Herzschlag geht auf doppelte Geschwindigkeit und meine Hände sind wie ein zu kleines Tuch aus dünnem Stoff, das man mal hierhin zieht, um den Körper zu bedecken, dann mal dorthin, und egal wohin man's zieht, es reicht nie aus.

Ich bin Olaudah in den Tiergarten gefolgt, hab ihn gerufen, als ich über die kleinen Steinchen auf dem Weg, der durch den Park führt, stakste. Ich verlor ihn aus den Augen, suchte ihn, meinte, er sei irgendwo dort vom Weg abgebogen und zwischen den Bäumen hindurch. Ich ging hinterher, rief ihn, kam auf die Lichtung und fand Indigo halb tot im schneebedeckten Gras...

Meine Hände sind an ihrem Gesicht, fahren wie Suchgeräte über ihren aufgeschlitzten Arm, ohne den Arm zu berühren. Ich knie neben ihr, krame das schwarze Kleid aus meiner Handtasche, während ich mich über ihr Gesicht beuge und aus den zehn, zwanzig Zentimetern Entfernung da reinbrülle, als ginge es darum, eine Kompanie zu dirigieren.

Ich wickel ihr das Kleid um den Arm und zieh so fest an den Enden des Stoffs, wie ich kann. Ich brüll gegen ihre fiebrigen Augenlider an, die das Weiß der Augen zeigen, unter denen manchmal die Pupillen sichtbar werden.

Ihr Kopf an meiner Schulter, die Arme pendeln wild und kraftlos um ihren Körper, Blut überall; der Kopf klappt zurück, ich drück den Kopf an mich, dann entgleitet mir der Körper. Ich pack sie am Kragen ihres Sweatshirts, eine irre Panik ist in meinem Hirn, ich kreische nur noch, den ganzen Weg zur Straße hin, schreie um Hilfe, rufe Olaudah, niemand hört mich.

Über das schneebedeckte Gras, über den erdigen Boden zwischen den Bäumen, das körnige Pflaster des Wegs, die Büsche, zur Straße des 17. Juni. Ich steh am Fahrbahnrand, schreie um Hilfe, wedele mit den Armen, drei, vier Autos fahren im dichten Schneetreiben vorbei. Ich ziehe Indigo vom Gehweg hoch, greife sie wie eine Puppe, meine Arme unter ihren Achseln hindurch, vor ihrem Oberkörper verschränkt, ihre Wange gegen meine Brust gedrückt, und zerre sie auf die Fahrbahn, wo sich ein Taxi nähert: Rehe im Scheinwerferlicht auf einer nächtlichen Straße. Ich, wild auf das Licht einschreiend, das uns entgegenrollt.

Der Fahrer macht eine Vollbremsung, kommt zum Stehen. Fünf, sechs Meter von uns entfernt wird die Wagentür aufgerissen und er kommt auf uns zugerannt, brüllt: »Bist du total irre, oder was!?« Er schlägt sich mit der flachen Hand ein paar Mal wüst gegen die Stirn, dann sieht er das Blut an meinen Kleidern, sieht, dass der Körper in meinen Armen keine Puppe ist, und macht auf dem Absatz kehrt, verschwindet im Wageninnern. Ich seh eins seiner Beine aus dem Fahrzeug ragen, höre das Rauschen des Taxifunks, dann seine Stimme, die nach der Zentrale ruft.

Es dauert keine Minute, bis er mit einer kleinen Verbandstasche zu uns zurückkehrt, wo ich noch immer regungslos stehe, Indigo in meinen Armen halte. Dann fang ich an zu heulen, als hätte alles in mir mein ganzes Leben lang nur auf diesen Augenblick gewartet ...

Vor mir, am anderen Ende dieser zehn, fünfzehn Meter, auf denen der gerade Schlauch des Stationsflurs seine ganze Aura kühler Funktionsmäßigkeit ausbreitet, steht mein Vater. Er lehnt am Türrahmen des Stationszimmers, ist wieder zur Diagonale in der halbgeöffneten Flügeltür geworden; hat die Arme vor der Brust verschränkt, schaut mich an.

Habibi kommt aus einem der Zimmer auf den Flur hinaus. Dann stehen beide da, Habibi in seiner blauen Stationskleidung, die Haare streng hinter seinem Kopf zusammengebunden. Hinter ihm, mein Vater. Ganz in Schwarz gekleidet, steht da, als würde er schräg aus Habibis Körper herausfallen. Ich möchte, dass er sich gerade hinstellt, will, dass er hinter dem Blau, das Habibis Körper auszustrahlen scheint, verschwindet, will, dass er in diesem Blau aufgeht.

Ich gehe auf Habibi zu. Vier, fünf, sechs Schritte, in denen diese Nacht zu einem einfachen Gefühl zusammenschrumpft. Ich lege meine Arme um seinen Hals, schiebe meine Wange auf seine Schulter und sage: »Halt mich einfach nur fest, ja. Lass mich nicht mehr los, hörst du?!«

★ ★ ★

Wir sind im Mauerpark, Malik und ich. Wo sonst die Wiese flach über den alten Mauerstreifen zieht, ist jetzt eine glatte Schneedecke, durch die Maliks Körper, bis zu den Hüften im Schnee, eine schmale Schneise pflügt. Er gräbt seine Hände in die weiße Masse und wirft dann eine dichte Wolke hoch in die Luft, die sich dort in einen dünnen weißen Staub verwandelt, der als glitzernder Kristallregen auf ihn niedergeht. Er legt den Kopf in den Nacken, lässt den Schnee mit geschlossenen Augen über sein Gesicht wehen, lacht dann laut auf, gräbt seine Hände erneut ein und weißer Nebel wirbelt durch die Luft, geht in einem nächsten glitzernden Schauer auf ihn nieder: »Komm Habibi, das musst du auch mal machen!«, ruft er.

Ich gehe zu ihm. Dann stehen wir nebeneinander, graben die Hände in den Schnee. Er ruft: »Bei drei!«

Ich zähle: »Eins! Zwei! Drei!« Und weiße Wolken zerstieben in der Luft über unseren Köpfen. Ich strecke mein Gesicht in den Himmel, schließe die Augen, warte bis der feine, kühle Staub auf mich herunterrieselt. Neben mir das Kinderlachen, das die klare Luft durchschneidet und der kühle Schauer, mit dem der Schnee auf meiner Haut zergeht.

Mutlu Ergün

Kara Günlük

Die geheimen Tagebücher des Sesperado

164 Seiten | 13 Euro | ISBN 978-3-89771-600-1

In seinen Tagebüchern zählt Sesperado nicht nur die Tage bis zur R.O.C., der Revolution of Color, dem Tag an dem sich alle People of Color (P.O.C.) vereinen, er trägt, oft auch auf sehr komische Art und Weise, mit seinen Lyrical-Guerrilla-Strategien dazu bei, diesen Tag näher zu bringen. ... eine amüsante Anleitung, wie man rebellieren kann und gleichzeitig Spaß dabei hat.

»Das Ergebnis ist gelungene antirasstische Satire, denn *Kara Günlük*, zu deutsch *Das dunkle Tagebuch*, ist unterhaltsam und intelligent zugleich. Mutlu Ergün präsentiert hier einen Knigge der verbalen antirassistischen Kriegsführung und führt die LeserInnen ein in das, was der Sesperado ›kritische Weißseins-Studien‹ nennt.« *Johanna Böttges | philtrat nr. 97*

UNRAST Verlag • Postfach 8020 • 48043 Münster

www.unrast-verlag.de • E-Mail: info@unrast-verlag.de

UNRAST

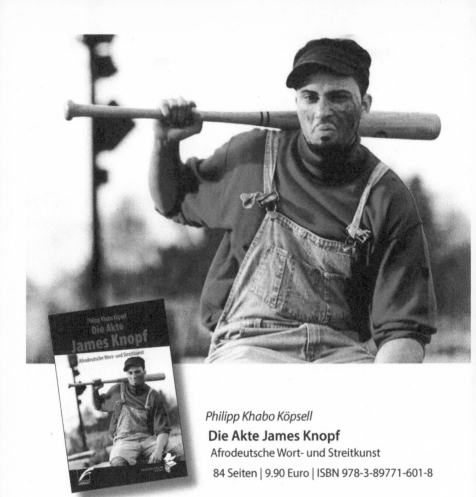

Philipp Khabo Köpsell
Die Akte James Knopf
Afrodeutsche Wort- und Streitkunst
84 Seiten | 9.90 Euro | ISBN 978-3-89771-601-8

Die Akte James Knopf ist eine poetische Verhandlung afrodeutscher kultureller Identität. Wurden Schwarze Deutsche in den 80er Jahren noch als Exoten und Ausländer im eigenen Land angesehen, so sind sie im neuen Jahrtausend Deutsche mit Fußnote des Migrationshintergrunds. In einem Land, welches sich lange Zeit als homogen-weiß und christlich verstand, müssen „abweichende" Identitäten ständig neu und radikal verhandelt werden. Die Akte James Knopf ist Verhandlung und Abrechnung zugleich.

Bissige Poesie und politische Satire formen eine eindringliche, selbstbestimmte Aussage: »I speak, so you don't speak for me!«

UNRAST Verlag • Postfach 8020 • 48043 Münster
www.unrast-verlag.de • E-Mail: info@unrast-verlag.de

UNRAST

Audre Lorde

**ZAMI – Eine neue Schreibweise
meines Namens**

Eine Mythobiografier

328 Seiten | 18 Euro | ISBN 978-3-89771-603-2

In ZAMI erschafft die afroamerikanische Dichterin eine neue Form, die Mytho-
biografie, eine Verknüpfung von Elementen aus Autobiografie, Mythologie und
Historie - und schafft auf diese Weise neue Zugänge zur Entdeckung weiblicher
Identität. Zami ist auf der Karibikinsel Carriacou, der Heimat von Lordes Mutter, ein Begriff für die Liebe und Freundschaft unter Frauen. In Lordes Lebens-
geschichte spielen Carriacou und Grenada, Orte von Licht, Sonne und Frauen-
zentriertheit, eine ebenso bestimmende Rolle wie Harlem, der amerikanische
Rassismus, die McCarthy Ära und das New Yorker Künstler- und Lesbenmilieu
der fünfziger Jahre.

UNRAST Verlag • Postfach 8020 • 48043 Münster

www.unrast-verlag.de • E-Mail: info@unrast-verlag.de

Olumide Popoola
this is not about sadness
In englischer Sprache
112 Seiten | 14 Euro | ISBN 978-3-89771-602-5

Zwei Generationen, zwei Kulturen – der beschwerliche Weg einer Freundschaft.

In *this is not about sadness* folgen wir der Rentnerin Norma Thompson, die sich aus dem Leben zurückgezogen hat und nur dem Treiben vor ihrer Wohnung in Nord London zuschaut. Eines Tages zieht die junge Südafrikanerin Tebo nebenan ein. Es entwickelt sich eine Freundschaft voller Konflikte, die erst in ihrer Tiefe besiegelt wird, als sie gegenseitig ihre Vergangenheit und deren emotionale Folgen anerkennen. Es öffnet sich ein Ort, an dem ihre Unterschiede Möglichkeiten der Heilung und Verbundenheit bergen.

UNRAST Verlag • Postfach 8020 • 48043 Münster
www.unrast-verlag.de • E-Mail: info@unrast-verlag.de

Marion Kraft (Hg.)
Kinder der Befreiung
Transatlantische Erfahrungen und
Perspektiven Schwarzer Deutscher
der Nachkriegsgeneration

376 Seiten | 19.80 Euro | ISBN 3-89771-592-9

**Kinder afro-amerikanischer Soldaten in
Deutschland über Geschichte und
Gegenwart des alltäglichen Rassismus**

70 Jahre nach dem Ende des Zweiten Weltkriegs würdigt dieser Band den Beitrag, den afroamerikanische Soldaten zur Befreiung Deutschlands vom Faschismus geleistet haben, und vereint Stimmen Schwarzer Deutscher der Nachkriegsgeneration. Historische, politische und wissenschaftliche Analysen, persönliche Geschichten, Interviews und literarische Texte fügen sich zu einem Kaleidoskop zusammen, durch das eine neue Perspektive auf einen fast vergessenen Teil deutscher Geschichte und US-amerikanisch-deutscher Beziehungen entsteht. Ursachen und Auswirkungen von Rassismus in der Vergangenheit und Gegenwart werden ausgelotet und Strategien für positive Veränderungen aufgezeigt.

»Kinder der Befreiung ist ein Meilenstein in der in den vergangenen drei Jahrzehnten entstandenen Literatur über die vielfältige Geschichte Schwarzer Deutscher. Diese Anthologie vereint erstmals Schwarze Stimmen von beiden Seiten des Atlantiks und wirft neue Forschungsfragen zur Wechselwirkung von Rassismus in Deutschland und in den USA in der Zeit nach dem Zweiten Weltkrieg auf. (...) Das Buch ist ein wichtiger Beitrag zur politischen Bildung und gehört in jeden Kurs zur deutschen Nachkriegsgeschichte«.
Leroy T. Hopkins, Jr., Prof. Millersville University, PA

UNRAST Verlag • Postfach 8020 • 48043 Münster
www.unrast-verlag.de • E-Mail: info@unrast-verlag.de